Adestramento Inteligente

Alexandre Rossi

Adestramento Inteligente

Soluções de problemas de comportamento e técnicas de adestramento

Editora Saraiva

Editora Saraiva

Rua Henrique Schaumann, 270 – CEP: 05413-010
Pinheiros — Fone: PABX (0XX11) 3613-3000
Fax: (0XX11) 3611-3308 — Televendas: (0XX11) 3613-3344
Fax Vendas: (0XX11) 3268-3268 — São Paulo - SP
Endereço internet: http://www.editorasaraiva.com.br

Filiais:
AMAZONAS/RONDÔNIA/RORAIMA/ACRE
Rua Costa Azevedo, 56 — Centro
Fone/Fax: (0XX92) 3633-4227 / 3633-4782 — Manaus

BAHIA/SERGIPE
Rua Agripino Dórea, 23 — Brotas
Fone: (0XX71) 3381-5854 / 3381-5895 / 3381-0959 — Salvador

BAURU/SÃO PAULO
(sala dos professores)
Rua Monsenhor Claro, 2-55/2-57 — Centro
Fone: (0XX14) 3234-5643 / 3234-7401 — Bauru

CAMPINAS/SÃO PAULO
(sala dos professores)
Rua Camargo Pimentel, 660 — Jd. Guanabara
Fone: (0XX19) 3243-8004 / 3243-8259 — Campinas

CEARÁ/PIAUÍ/MARANHÃO
Av. Filomeno Gomes, 670 — Jacarecanga
Fone: (0XX85) 3238-2323 / 3238-1331 — Fortaleza

DISTRITO FEDERAL
SIG Sul Qd. 3 — Bl. B — Loja 97 — Setor Industrial Gráfico
Fone: (0XX61) 3344-2920 / 3344-2951 / 3344-1709 — Brasília

GOIÁS/TOCANTINS
Av. Independência, 5330 — Setor Aeroporto
Fone: (0XX62) 3225-2882 / 3212-2806 / 3224-3016 — Goiânia

MATO GROSSO DO SUL/MATO GROSSO
Rua 14 de Julho, 3148 — Centro
Fone: (0XX67) 3382-3682 / 3382-0112 — Campo Grande

MINAS GERAIS
Rua Além Paraíba, 449 — Lagoinha
Fone: (0XX31) 3429-8300 — Belo Horizonte

PARÁ/AMAPÁ
Travessa Apinagés, 186 — Batista Campos
Fone: (0XX91) 3222-9034 / 3224-9038 / 3241-0499 — Belém

PARANÁ/SANTA CATARINA
Rua Conselheiro Laurindo, 2895 — Prado Velho
Fone: (0XX41) 3332-4894 — Curitiba

PERNAMBUCO/ALAGOAS/ PARAÍBA/ R. G. DO NORTE
Rua Corredor do Bispo, 185 — Boa Vista
Fone: (0XX81) 3421-4246 / 3421-4510 — Recife

RIBEIRÃO PRETO/SÃO PAULO
Av. Francisco Junqueira, 1255 — Centro
Fone: (0XX16) 3610-5843 / 3610-8284 — Ribeirão Preto

RIO DE JANEIRO/ESPÍRITO SANTO
Rua Visconde de Santa Isabel, 113 a 119 — Vila Isabel
Fone: (0XX21) 2577-9494 / 2577-8867 / 2577-9565 — Rio de Janeiro

RIO GRANDE DO SUL
Av. A. J. Renner, 231 — Farrapos
Fone/Fax: (0XX51) 3371-4001 / 3371-1467 / 3371-1567
Porto Alegre

SÃO JOSÉ DO RIO PRETO/SÃO PAULO
(sala dos professores)
Av. Brig. Faria Lima, 6363 — Rio Preto Shopping Center — V. São José
Fone: (0XX17) 227-3819 / 227-0982 / 227-5249 — São José do Rio Preto

SÃO JOSÉ DOS CAMPOS/SÃO PAULO
(sala dos professores)
Rua Santa Luzia, 106 — Jd. Santa Madalena
Fone: (0XX12) 3921-0732 — São José dos Campos

SÃO PAULO
Av. Marquês de São Vicente, 1697 — Barra Funda
Fone: PABX (0XX11) 3613-3000 — Fax: (11) 3611-3308 — São Paulo

ISBN 978-85-02-08351-6

CIP-BRASIL CATALOGAÇÃO NA FONTE
SINDICATO NACIONAL DOS EDITORES DE LIVROS, RJ

R741a

Rossi, Alexandre
Adestramento inteligente : solução de problemas de comportamento e técnicas de adestramento / Alexandre Rossi. - São Paulo : Saraiva, 2009.

ISBN 978-85-02-08351-6

1. O Cão - Comportamento. 2. Cão - Adestramento. 3. Comunicação homem-animal. I. Título.

09-4373 CDD-636.70887
CDU-636.76

27.08.2009 01.09.2009 014728

Diretora editorial: Flávia Helena Dante Alves Bravin
Gerente editorial: Carla Fortino
Editora: Fabiana Medina
Assistente editorial: Carlos Renato Silva
Diagramação: Linea Editora Ltda.
Finalização: Eduardo Amaral (Duligraf)
Revisão: Ana Lucia S. dos Santos
Ilustrações internas: Nelson Bertelotti Filho e Gerhard O. Hradec
Arte da capa: Ruy Lukon
Fotos de capa: shutterstock. Eric Issele, Hanna Mariah, Konstantim Gushcha e Meggi

2009

À Tamara Pall Mall, minha weimaraner,
com quem aprendi muitas coisas.

À Sofia, minha vira-lata, que me ajudou a mostrar e provar para o mundo a incrível capacidade comunicativa dos cães. À minha equipe, que me possibilita estar cada vez mais perto da minha missão, que é promover uma melhor integração do cão em nossa sociedade por meio de informação e educação dos cães e proprietários. Às franqueadas Alida, Alessandra e Claudia da Cão Cidadão, que trabalharam comigo na elaboração desta edição revisada, e aos demais membros de nossa empresa, que enviaram sugestões e críticas para melhoria desta obra, com destaque especial para Christian e Marília.

Sumário

SEGUNDA PARTE

TERCEIRA PARTE

QUARTA PARTE

Prefácio

Ah, se eu soubesse — lá em 1955, quando me formei como médica-veterinária (e acredito que todo veterinário deveria saber quando se forma) — *que exercer a medicina veterinária sem sólidos conhecimentos de comportamento animal não é viável.*

O caminho para adentrar a área de comportamento e distúrbios comportamentais caninos requeria do estudioso pelo menos fluência no inglês e poder aquisitivo para perquirição dos inúmeros livros técnicos, todos em língua estrangeira. Eis que, para minha surpresa, me foi apresentada esta simpática obra, uma ilha em português no meio de tantos livros em inglês, francês e alemão, calcada em leituras e experiências do autor "buscadas, com muito mérito, lá fora".

De utilidade prática e fruto da prática, o livro leva o leitor, técnico ou leigo, a compreender fundamentos da estrutura social, desenvolvimento e psicologia canina e se tornar "o melhor amigo do cão", sem perder a liderança. A comunicação ser humano-animal, que apresenta vieses quando nós seres humanos queremos interpretar a linguagem canina, será facilitada, e muito, se forem seguidas as regras e dicas apresentadas.

Com clareza e bom humor ensinam-se técnicas básicas e vitais de educação canina, apresentando princípios de reforço indispensáveis para um convívio harmonioso. As ideias que o autor, baseado em sua prática e estudos, divide com outros profissionais e pessoas interessadas no assunto dão a oportunidade de pensar e repensar o cão e todos os seus momentos evolutivos, a fim de abrir novas propostas educacionais.

Merece louvor a parte dedicada aos problemas comportamentais. De forma simples, ela oferece subsídios iniciais para lidar com esse assunto e desfaz muitas das crenças antigas de como e quando intervir.

A partir deste trabalho muito poderá ser feito: haverá um entendimento melhor do porquê de determinados comportamentos, haverá a possibilidade de o veterinário, o criador, o adestrador e o proprietário se unirem para construir uma ponte que integre o cão de maneira satisfatória na matilha humana.

O esforço e o ideal que nortearam esta obra serão de serventia a todos nós.

Dra. Hannelore Fuchs

Médica-veterinária e psicóloga especialista em comportamento animal

Introdução

Este livro é destinado às pessoas que gostam de animais e estão procurando melhorar o relacionamento com seu cachorro. Trata-se de uma ferramenta valiosa para que você se aproxime do universo canino e possa se comunicar com seu cão de uma maneira que ele entenda. Obediência e respeito são obtidos por meio de consideração e dignidade, mas somente boas intenções não bastam — portanto, aprenda a falar a língua dele! O convívio com um cão adestrado é, sem dúvida nenhuma, mais prazeroso, fazendo com que o animal e seu dono se sintam muito mais felizes.

Uma das grandes motivações que me levaram a escrever este livro foi a experiência que adquiri atendendo proprietários que me traziam seus animais "problemáticos". Nessas consultorias, notei que raramente os animais apresentavam verdadeiros desvios de comportamento: o que havia, realmente, era uma grande falha de comunicação entre as duas espécies, e a minha tarefa prioritária era "apresentar" o cão ao seu proprietário. Para estender a um número bem maior de lares a ajuda que presto pessoalmente, decidi passar para o papel os conhecimentos que fui acumulando em anos de prática, sem deixar de lado a base teórica que procuro manter sempre atualizada. A intenção deste livro é mostrar como o cão "raciocina", sente e reage diante das diversas situações que se apresentam no seu dia a dia em contato com os homens e de que maneira o dono deve agir para ser compreendido por seu cão a fim de tornar a convivência entre pessoas e animais ainda mais agradável.

As técnicas descritas neste livro são as mais eficientes para o condicionamento de animais e podem ser aplicadas a praticamente qualquer espécie domesticável, embora estejam direcionadas para cães. São técnicas que, por tratar o animal com respeito, já formaram, e estão formando, campeões em diversas modalidades de competição canina.

As primeiras quatro partes devem ser lidas obrigatoriamente para um entendimento global da obra. A quinta parte destina-se a auxiliar o leitor a resolver problemas específicos de comportamento e pode ser consultada conforme surgir a necessidade, embora sua leitura prévia possa prevenir tais problemas.

A parte final relata curiosidades do mundo canino, desde o esclarecimento de mitos a interações especiais com humanos, e pode ser lida a qualquer momento.

Desde que o leitor tenha tempo, é preferível uma primeira leitura completa, bastando depois consultar qualquer parte ou capítulo isolado quando tiver dúvidas. Para facilitar a localização do item desejado, o livro está dividido em subtítulos. Além disso, no início de cada capítulo há uma lista com os tópicos principais e, no final, um resumo para a aplicação prática do que foi apresentado.

Curta seu cão!

Alexandre Rossi

www.caocidadao.com.br
www.adestramentointeligente.com.br

Primeira Parte

Conceitos Fundamentais

Quatro conceitos fundamentais formam a base do convívio harmonioso entre o seu cão e você, além de assegurar um adestramento correto:

- A matilha: para o cão, a família humana é um conjunto de cachorros;
- O amor incondicional: o cão deve sentir que gostamos dele independentemente do que possa fazer;
- A troca: a obediência do cão deve ser recompensada;
- A atenção: se o cão estiver atento, aprenderá com mais profundidade, eficiência e rapidez.

A MATILHA

Os cães não são só companheiros, protetores e diversão para as crianças. São animais predadores que vivem em matilhas e possuem uma complexa organização social.

Se entender e respeitar essa organização, o resultado será felicidade e bem-estar reinando entre você e seu grande amigo.

NESTE CAPÍTULO VOCÊ VAI APRENDER QUE:

- para o cão, sua família é a matilha;
- o cão só vai respeitá-lo se você for o líder dessa matilha e o que você deve fazer para se tornar o líder;
- a violência deve ser evitada.

O CÃO FAZ PARTE DE UMA MATILHA

A primeira lei do adestramento, e também do convívio entre cães e humanos, exige que você compreenda a realidade do cão. Ele não é gente. É um ser que pertence à matilha e possui ainda todos os instintos de sobrevivência, proteção e afeto de que seus antepassados necessitaram para sobreviver como espécie.

DESENTENDIMENTOS

Sem a consciência de que somos diferentes, entramos em disputa com os cães e acabamos ficando nervosos ou frustrados com suas reações. Esperamos que os cães queiram o que queremos, que sintam como nós sentimos e, ainda pior, que pensem como nós pensamos.

Suponha que, ao alimentar seu cão, ele comece a rosnar para você. Isso imediatamente o deixa transtornado, pois você interpreta isso como ingratidão e, além de não se sentir amado, sente-se ameaçado. Nós nos comportamos e reagimos de maneira diferente da dos cães quando amamos. Se esperarmos que os cães se comportem como humanos, seremos vítimas de sérios mal-entendidos. Ficaremos muito frustrados e não usaremos nosso tempo para entender pacificamente as diferenças que existem entre homens e cães.

Entender como funciona uma matilha não lhe dá apenas uma nova e crucial compreensão sobre o cachorro, mas também uma visão diferente de como ele deve ser treinado. Os valores dos cães são diferentes dos nossos, e, ao conhecê-los melhor, percebemos os erros mais comuns ao educar e adestrar os cães.

PAPEL DO LÍDER

Os cães, na matilha, necessitam de um líder, um cão que conduza os demais, graças às suas habilidades. Inúmeras regras e limites são comunicados por ele ao grupo. A marcação do território, por exemplo, geralmente cabe ao líder da matilha; portanto, quando o cão sai pela casa urinando, provavelmente acredita que é o líder da matilha ou está disputando a liderança.

O líder da matilha, felizmente, impõe respeito por sinais e atitudes, e só em último caso a briga é a forma de disputa pela liderança. Isso ocorre por uma razão muito importante: quando os cães brigam realmente, eles se machucam, e qualquer membro da matilha debilitado diminui as chances de sobrevivência do grupo. A todo tempo os animais recebem e passam informações uns aos outros a respeito de quem é o líder e de quem é o subordinado. Se eles, por milênios, agem assim para estabelecer a ordem, teremos mais sucesso se fizermos a mesma coisa. Como conseguir isso? Neste capítulo explicaremos como se tornar o líder da matilha sem empregar a violência ou machucar seu cão.

A HIERARQUIA É OBRIGATÓRIA

Muitas vezes passamos inconscientemente ao cão a informação de que ele é o líder da matilha, e quando ele age como tal ficamos transtornados e aborrecidos. Não é justo deixarmos de gostar do nosso cão por ele ter agido de acordo com a educação que recebeu de nós mesmos. Há um ditado que diz: "Cada pessoa tem o cachorro que merece". É uma verdade expressa pela sabedoria popular, pois nós influenciamos de tal maneira o meio ambiente e as atitudes de nossos cães que praticamente tudo que eles aprendem é resultado direto ou indireto de nossa maneira de tratá-los.

Se quiser ser respeitado por seu cão, você pode escolher um método que lhe pareça interessante e tentar impor isso ao animal, ou pode utilizar um método que faça sentido para ele. É claro que a segunda opção é bem mais eficaz, mas depende de um conhecimento muito maior sobre cães. Por exemplo, um método bastante popular é bater no cão quando ele faz algo errado. Acontece que, para ele, uma pancada pode significar um ataque ou convite para brincar, e nenhuma das alternativas corresponde ao que você gostaria de lhe comunicar.

Para os cães a hierarquia é obrigatória, todos os cães devem saber se são dominantes ou submissos em relação aos demais membros de seu grupo. Cada posição e cada atitude têm significado para os outros cães. Essa linguagem canina é natural e importante para eles. Se o filhote for separado da mãe e dos irmãos muito cedo (antes de sete semanas), a compreensão da linguagem pode não se tornar natural, o que vai criar problemas para o animal no convívio com outros, além de poder prejudicar o treinamento.

LINGUAGEM CANINA

Os cães se testam continuamente para saber quem é o líder. Como dissemos antes, não é necessário que briguem para estabelecer o domínio. A liderança é assegurada por atitudes e posições que formam a linguagem canina. A seguir daremos alguns exemplos da linguagem usada pelos cães e seus significados.

1. Um cão pode rosnar e ameaçar brigar até que o opositor saia de perto, corra ou fique numa posição que queira dizer: "Ok, você é o chefe". Esse é o sentido das posições vulneráveis que

permitem ao vencedor fazer o que quiser, inclusive tirar a vida do subordinado. Existem duas posições clássicas: ou o animal vencido se deita com a barriga virada para cima (expondo a parte frágil da barriga) ou se curva mostrando a nuca (que também é frágil). Em ambas as posições as orelhas ficam coladas à cabeça (ou para trás) e a ponta da língua pode ser colocada para fora diversas vezes.

2. Também pode andar todo esticado em torno do oponente, com a cauda erguida e o pelo arrepiado. Isso significa: "Sou líder!". Se o outro aceitar o domínio, irá assumir uma posição de submissão; se não aceitar a hierarquia proposta, irá partir para a briga até que haja um vencedor, ao qual o outro se submeterá. Infelizmente o resultado dessa disputa pode ser morte.

3. Ou ainda sair pela rua urinando em postes e moitas para demarcar o território com seu cheiro. Os cães também costumam esfregar as patas no chão, próximo de onde urinaram, para deixar seu odor característico, pois possuem uma glândula nas patas que produz sua marca registrada. Isso pode ser feito por machos e também por fêmeas. Os cães saem pela rua cheirando cada poste e cada moitinha da calçada e de tempos em tempos assumem a posição de urinar (mesmo que nem sempre a urina saia realmente), andam um pouquinho e esfregam as patas no chão como se estivessem tentando tampar a sujeira. Isso significa que estão colocando seu cheiro sobre o cheiro deixado por outro cão naquele local, pois a urina de cada cão tem um odor característico, como se fosse sua identidade.

COMO FAZER USO DA LINGUAGEM CANINA

Às vezes ladrões são encontrados vivos em casas protegidas por cães ferozes que deixaram de atacar os invasores assim que estes se curvaram ou deitaram no chão e não se mexeram mais. Por sorte, os ladrões ficaram numa posição de submissão diante dos cachorros, para quem a disputa perdeu o sentido. Se esses ladrões tivessem tomado outra atitude poderiam ter morrido na ocasião.

É claro que este não é um manual para ladrões, com truques de como assaltar uma casa, mas todas essas reações e comportamentos se mostram importantes para transmitir um sentimento de domínio e confiança ao animal. Por exemplo, quando seu cachorro estiver aterrorizado com raios e trovões em meio a uma tempestade, estufar o peito e andar firmemente significa que você tomará conta da situação. Isso poderá acalmá-lo. Se, em vez disso, você se abaixar e acariciar o cachorro, poderá amedrontá-lo ainda mais, pois na linguagem canina estará passando o comando para ele e mostrando que também está com medo.

Entender a matilha e o comportamento de seus membros também auxilia o treinador a aumentar a confiança de cães excessivamente submissos e corrigir comportamentos decorrentes disso. Um cão excessivamente submisso costuma urinar e virar de barriga para cima toda vez que seu dono chega em casa ou fala com ele. Nessas circunstâncias, a pior maneira de lidar com o problema é gritar com esse cão ou puni-lo por urinar. Ele já está mostrando sinais de submissão e, se você gritar, isso significará que a mensagem que ele transmitiu ainda não está clara. Isso o levará a urinar mais ainda ou sair correndo.

O conhecimento de cada expressão corporal do seu cão auxilia incrivelmente a determinar a recompensa, a eficiência da punição e a prevenir ataques.

LIDERANÇA

Desde filhotes os cães já demonstram disposição para competir pela liderança do grupo, e as brincadeiras são fundamentais. É por meio delas que o cãozinho desde cedo percebe como controlar a força de suas mordidas, aprende a se comportar, a brincar e a disputar.

Os líderes das matilhas geralmente determinam o rumo aos demais cães e costumam ganhar as disputas físicas e por objetos. É possível distinguir logo cedo o cãozinho com maiores chances de ser líder, pois, para onde ele vai, os outros o seguem.

QUEM É O LÍDER DA MATILHA

Ser o líder significa impor regras constantemente e estabelecer limites coerentes.

Qualquer pessoa que tenha um cão e queira morar numa casa que não funcione de acordo com padrões caninos terá todo o interesse em estabelecer as regras. Para isso, paradoxalmente, precisará se comportar como se fosse o líder da matilha, impondo limites e influenciando positivamente seu cão a demonstrar bons comportamentos.

Ao contrário do que muita gente pensa, o líder da matilha costuma ser o membro mais querido do grupo. É impressionante o carinho e a alegria demonstrados pelos cães quando o líder os agrada, ou quando volta de uma caçada ou de algum passeio. Se você conseguir ser o líder do seu cão, ele o respeitará mais e gostará mais de você.

PARA NOSSO CÃO, NÓS SOMOS CACHORROS

Para o cão, nossa família é a matilha à qual ele pertence. É isto mesmo, para ele, nós também somos cachorros! Ele tentará descobrir qual posição

ocupa entre os membros da família. Mesmo que goste muito das pessoas, se o seu cão acreditar que poderá liderar a matilha irá disputar o poder com você de inúmeras formas, a maioria delas super-desagradável! Carinho e afeto para ele não impedem disputas pela hierarquia. Ser o líder da matilha significa proteger os demais membros e impor as regras para que a matilha prospere. Podemos observar dois cães se lambendo e mostrando afetividade não muito depois de terem disputado a liderança a mordidas.

VIOLÊNCIA: UMA SOLUÇÃO NÃO TÃO INTELIGENTE

Uma das maneiras de o cão aprender é por imitação. Por isso, se uma pessoa conseguir impor respeito ao seu cão pela violência, provavelmente fará com que esse cão imite a sua técnica para obter respeito ou, quem sabe, chegue um dia a disputar violentamente com ela a posição de liderança. Alguns fortões riem, incrédulos, quando são informados de que seu cão poderá disputar algo violentamente com eles, pois dizem que o cachorro não terá a menor chance. Nisso talvez estejam certos, mas o que acontecerá se o cachorro for mostrar o que aprendeu para os filhos do doutor Fortão ou para qualquer outra pessoa não tão vigorosa e agressiva?

Uma pessoa que grita com seu cão ou bate nele é um péssimo líder, pois só consegue sua posição por meio de ameaças e agressões. Cães que recebem esse tipo de tratamento adquirem sequelas graves que dificultam muito o adestramento e, às vezes, tornam-se perigosos para alguém da casa que não consiga dominá-los da mesma forma. Um cão que é submetido com o uso de violência pode aprender a se defender da mesma forma. Por isso, não se deve culpar um cão por sua agressividade quando é tratado violentamente, pois está simplesmente seguindo o exemplo do dono.

Existem inúmeras maneiras de nos tornarmos líderes de nossos cães sem praticar nenhuma violência. Qualquer tipo de agressão contra o animal atrapalha o condicionamento e altera negativamente seu padrão de comportamento. A violência não é uma maneira eficiente de se comunicar com seu cão ou de puni-lo.

Devemos liderar estabelecendo limites coerentes e recompensando imediatamente os comportamentos corretos.

ANDE NA FRENTE

Líderes geralmente são mais observados e possuem mais poder em determinar o caminho a ser seguido.

Uma excelente forma de estabelecer um limite claro é andar à frente de seu cão e decidir o percurso. Impor essas condições já é uma boa maneira de se conquistar a liderança. Mas como fazer isso? É muito fácil: simplesmente engane o seu cachorro algumas vezes; finja que vai para um lado, vire para o lado oposto e saia andando; quando ele ultrapassá-lo novamente, vire para o outro lado, e assim por diante. Não demorará muito para que ele desista de andar à frente e passe a prestar mais atenção aos seus movimentos.

Pronto, não doeu nada e, por incrível que pareça, esse cachorro já estará em melhores condições de ser educado e treinado. O mesmo cuidado deve ser tomado ao passar por portas ou portões: sempre conduza seu cão. Algumas pessoas ficam impressionadas com o fato de seu cão magicamente deixar de fazer xixi pela casa ou de parar de morder as visitas, simplesmente por terem estabelecido um limite, fazendo com que ele esperasse que as pessoas passassem em primeiro lugar. De mágica isso não tem nada. O fato é que, ao restaurar a liderança, automaticamente outros comportamentos foram alterados, como o da demarcação de território.

INVERTA A SITUAÇÃO

Quando o seu cão latir ou pedir de alguma maneira que você o alimente, leve-o para passear ou a fazer qualquer outra coisa; se você o satisfizer imediatamente estará obedecendo às ordens dele, e ele interpretará isso como uma prova de que ele é o líder do grupo. Além disso, estará recompensando comportamentos indesejáveis, como latir ou pular para pedir algo, por exemplo. Por isso, não entenderá nada quando for corrigido ao demarcar o seu território, ou ao decidir quem entra ou não na sua casa. Não é preciso fazer seu cão passar fome, nem deixar de ir passear com ele para resolver esse problema. A situação é invertida simplesmente se comandarmos algo ao cachorro antes de fazer o que ele está esperando. Qualquer comando serve, mas para cachorros mais mandões é aconselhável algo como o comando "deita", pois um simples "senta" ou então "dá a pata" não se mostram suficientemente eficazes. Dessa forma, usando comandos, estaremos recompensando um bom comportamento antes de oferecer o que o cão deseja: atenção, carinho, passeio ou comida.

O que fazer se ele não obedecer? Ignore-o completamente e não faça o que ele quer ou está esperando. Resultados surpreendentes podem ser obtidos com essa técnica. Mas é importantíssimo que não haja nenhum tipo de correção ou castigo caso o cachorro não o obedeça. Lembre-se de que o tom de voz ao dar o comando deve ser normal; não é necessário falar alto, pois a audição dos cães é muito mais apurada que a nossa. Seu cachorro terá todo o interesse em obedecê-lo, pois perceberá que, caso contrário, além de não conseguir o que quer, será ignorado por seu querido dono.

Alguns cães recusam-se a executar comandos, abrindo mão até de alimento como forma de testar a liderança. Mais cedo ou mais tarde, porém, eles se convencem de que você é o líder e de que a sobrevivência deles depende de você.

GANHE RESPEITO E DÊ BONS EXEMPLOS

A questão da liderança é importantíssima para o treinamento. Ser um líder não é tão difícil, mas ser um ótimo líder demanda treinamento, conhecimento e atenção. Quanto mais respeito e mais carinho o seu cão sentir por você, mais fácil e mais prazeroso será o adestramento. Ele terá todos os motivos do mundo para querer obedecê-lo. Um líder perfeito só passa bons exemplos aos seus subordinados e não exige respeito – ganha-o.

Infelizmente, boas intenções não bastam, portanto não aconselho que se brinque com a boca do cachorro ou se permita que ele a use para disputar algum objeto com você, fazendo cabo de guerra. Se você ou qualquer pessoa estiver do outro lado do brinquedo, embora o que se tenha em mente seja um divertimento, poderá estar incentivando o cão a utilizar a boca e a disputar fisicamente com quem estiver na outra extremidade. Quando o cachorro brinca de mordê-lo, adquire confiança e aprende a usar sua arma (boca) contra você. Quando brincamos de puxa-puxa, para o cachorro isso pode ser uma disputa de liderança, e ele a ganha cada vez que sai com o objeto na boca. Pode parecer inofensivo, mas, se ocorrer algum problema ou disputa na hierarquia, alguém poderá sair machucado. Essa restrição não precisa ser seguida por pessoas que tenham um bom controle sobre seus cães (ou por terem bastante técnica ou por serem proprietários de cães mansos e submissos) e consigam facilmente fazer o cão largar o objeto da disputa com uma simples ordem.

E, por último, quando seu cão se comportar e respeitar os limites estabelecidos por você, elogie-o. Assim, além de mostrar que você é o líder, dará a ele o prêmio de receber atenção ao deixar que você ocupe essa posição.

APLICAÇÃO DA LEI DA MATILHA

1. Seja o líder da matilha.
2. Ganhe respeito, e não o exija.

3. Faça com que seu cão mereça o que quer e o que precisa: peça-lhe que execute algum comando simples antes de receber comida, sair para passear ou quando quiser que você abra a porta para ele etc.
4. Caminhe na frente do seu cachorro e passe sempre antes dele por portas e portões.
5. Nunca grite nem bata em seu cachorro.
6. Jamais deixe que ele ganhe qualquer disputa física. Se você tiver de segurá-lo, não o solte se ele espernear ou mordê-lo. Só o solte quando você decidir, e de preferência quando ele parar de espernear.
7. Não deixe que ele o morda, nem de brincadeira, e evite as disputas de cabo de guerra.
8. Não o machuque e nem o enforque.
9. Elogie todos os bons comportamentos demonstrados a você e aos demais membros de sua família.

AMOR INCONDICIONAL

"A inteligência da natureza opera pela lei do mínimo esforço, sem ansiedade, com harmonia e amor."

Deepak Chopra

NESTE CAPÍTULO VOCÊ VAI APRENDER QUE:

- o amor e o adestramento caminham juntos;
- o comportamento do cão depende da coerência do adestramento;
- se deve punir a atitude errada, e não o cão, por isso, é importante saber como e quando punir corretamente.

AMOR E ENTENDIMENTO

Se realmente amamos nossos cães, devemos procurar entendê-los. Se nós não tivermos essa capacidade, como esperar que eles nos compreendam, já que possuem apenas uma fração de nossa inteligência? Muitos conflitos ocorrem entre humanos e cachorros por simples desentendimento. Quanto mais estudarmos e conhecermos os cães e seu meio de comunicação, maior será o nosso amor por eles. Somente por meio do conhecimento poderemos aumentar a harmonia e diminuir o estresse dessa relação.

Recompensar comportamentos desejados é a melhor maneira de mostrar para nosso cão o que esperamos dele. Providenciar atividades e objetos que satisfaçam suas necessidades caninas também são fundamentais para a saúde física e psicológica dele.

Devemos evitar a qualquer custo decepcionar o nosso cão afetivamente. Estudos mostram que, quanto mais o seu cão amá-lo, melhor e mais rápido será seu condicionamento. Quanto maior a confiança e o amor pelo seu dono, maior será a vontade de fazer certo!

COMPORTAMENTO

Quem já teve a oportunidade de observar o comportamento do cão em relação a alguém que utilizou essas técnicas fica impressionado com a disposição que esses animais apresentam para obedecer. Quando as coisas fazem sentido para o seu cão, a vontade dele de tentar e de vencer desafios vai crescendo, e é a partir daí que o adestramento deslancha e o cão passa a realmente adorar o treinamento.

Os cães se sentem muito confusos quando são reprimidos sem entender qual foi o comportamento que ocasionou a reprimenda. Aos poucos podem tornar-se cães ansiosos e sem vontade de enfrentar o desafio que representa acertar.

Devemos evitar ensinar ao filhote coisas que não queremos que faça quando crescer (ficar adulto). Recompensar comportamentos indesejados, como pular para pedir carinho e nos morder por brincadeira, pode ser arriscado. Vamos imaginar que você tenha adquirido um lindo filhote de são-bernardo e que ache encantador aquela bola de pelos pulando em você, lambendo seu rosto e lhe mordiscando enquanto brinca, tudo tão inofensivo. Algum tempo depois (bem pouco tempo), seu pequeno grande cão, por volta de seus 80 kg, decide receber calorosamente sua avozinha que vem lhe visitar, pulando, lambendo e mordiscando. Não só você, mas toda sua família ficará em pânico (inclusive sua pobre avozinha), e o cão levará uma superbronca por uma atitude que lhe foi ensinada e reforçada. Para o cão, é muito confuso e estressante ser reprimido por apresentar um comportamento que lhe foi ensinado, durante meses, pelo próprio dono. Entretanto, existem algumas necessidades dos filhotes que devem ser supridas e que não existirão mais quando ele crescer, podendo ser substituídas por outros comportamentos mais adequados de forma carinhosa e gradual. Mais detalhes sobre isso serão dados no capítulo específico de filhotes.

PUNIÇÃO

Você deve estar questionando agora esse tal de amor incondicional; talvez esteja dizendo que é bonito na teoria, mas na prática é necessário reprimir o cão.

De fato, não podemos deixar de controlar ou reprimir as atitudes indesejáveis ou perigosas dos cães. A diferença é que faremos isso de modo inteligente, levando em conta a psicologia canina. Para cada comando e para cada problema de comportamento indicaremos a melhor forma de correção sem que a relação com seu cachorro corra risco de se deteriorar, o que poderia acontecer com reprimendas inadequadas. Além disso, devemos sempre procurar proporcionar atividades substitutas e recompensar o comportamento desejado.

As repreensões devem focar a atitude, e não o cão. Isso significa que, assim que o cachorro desistir da atitude indesejável, mesmo quando estimulado, o amor e o carinho devem ser os mesmos de antes, como se o erro nunca tivesse acontecido. Independentemente do que ele faça, você deverá mostrar que o ama. Ou seja, não fique "de mal" do seu cachorro, nem ignore-o por "vingança". Como dissemos antes, quanto mais o cachorro amá-lo, mais fácil será o treinamento.

As punições devem ser aplicadas de modo e intensidade corretos, respeitando o momento e o temperamento do cão. A intensidade da punição não é proporcional à gravidade do comportamento indesejado, mas proporcional à sensibilidade à bronca e ao medo que o cão tem dela. Uma bronca bem-aplicada é aquela capaz de impedir que o comportamento indesejado ocorra, mas não tão forte a ponto de deixar o cão inseguro ou assustado demais. O cão deve sempre confiar em nós, mas ao mesmo tempo deve se controlar para não ser reprimido.

No método do adestramento inteligente, as punições devem causar um desconforto no cão, seja através de uma situação inesperada, um susto ou um desconforto físico. No caso de cães medrosos ou propensos a traumas, devemos evitar sustos ou qualquer punição que possa prejudicar a segurança que eles têm nas pessoas e em seu ambiente.

Muitas punições podem ser disfarçadas ou incorporadas no ambiente. Dessa forma, mesmo quando você não estiver prestando atenção, o comportamento errado poderá ser punido, ou ao menos não recompensado. Por exemplo, você pode colocar um produto amargo não tóxico em plantas que seu cão não deva mastigar. Assim, ele associará essas plantas ao gosto amargo e as evitará, estando você por perto ou não.

Broncas personalizadas podem surtir efeito negativo em alguns cães, ou seja, aquelas broncas que, ao darmos, olhamos diretamente nos olhos deles e apontamos o dedo etc. Alguns cães podem reagir de maneira agressiva, enquanto outros podem adorar a atenção que receberam. A bronca nunca deve estimular a agressividade do cão e também não deve ser confundida com um convite para brincar. Se sairmos gritando atrás de um cão quando ele faz xixi pela casa, poderemos estar dando a ele a atenção desejada. Da próxima vez que esse cão quiser atenção, repetirá o ato e será bem-sucedido novamente. Também poderá fazer xixi em locais errados quando se sentir sozinho, pois associou esse comportamento a atenção.

Atenção: Toda e qualquer punição deve ter o objetivo de inibir o ato, e nunca de ser represália ou vingança! Assim que se atinge o objetivo, a punição deve cessar como se jamais tivesse existido.

TREINAMENTO SEM TRAUMAS

Cada comando e cada aprendizado carregam consigo muitos significados que ficarão como lembranças no subconsciente. Do mesmo jeito que um professor pode nos fazer adorar ou odiar alguma matéria, o adestrador pode fazer o cão adorar ou odiar o comando. É claro que nosso objetivo é fazer com que o cão responda nossos comandos o mais prazerosamente possível, e para isso devemos tomar uma série de cuidados desde a primeira lição.

Qualquer fator negativo durante o aprendizado contribuirá para uma resposta menos eficiente e para a má vontade do seu cão em efetuar o comando, já que subconscientemente ele vai relacionar o comando com os fatores do aprendizado.

É impressionante o prazer de um cão em realizar comandos e perceber que acertou, logo partindo para o desafio de descobrir qual será o próximo exercício que irá realizar. A rapidez com que o cão aprende novos comandos cresce com o tempo de adestramento, refletindo esse prazer. Quando temos de preparar um cão para um filme ou propaganda, normalmente selecionamos aqueles que já realizam os comandos que precisamos, mas quando isso não é possível, devido à vontade que os cães têm de aprender, conseguimos facilmente ensiná-los novos truques para o trabalho proposto. É realmente muito estimulante!

COLOCANDO EM PRÁTICA A LEI DO AMOR INCONDICIONAL

1. Nunca reprima o cachorro, e sim a atitude. Isso quer dizer que, assim que ele deixar de cometer o erro, mesmo quando provocado, deverá receber todas as demonstrações de amor e carinho, como se ele nunca tivesse errado antes.
2. Planeje as punições para cada situação usando a inteligência. Verifique se o cão poderá ou não associar a bronca à presença humana.
3. Evite que seu cão relacione qualquer coisa desagradável ao aprendizado, como, por exemplo, apertar a traseira ou sufocá-lo com o enforcador para que ele se sente. Além de desagradáveis, essas atitudes serão diretamente relacionadas a você.
4. Aprenda a ignorar seu cão como forma de punição. É uma ótima maneira de fazer seu cão valorizar ainda mais sua presença e uma atitude muito eficiente para controlar o comportamento.
5. Atenção: Amor incondicional não significa mimar seu animal ou garantir-lhe direitos iguais aos seus. Cães mimados não respeitam o dono, o que também ocorre com os animais que têm os mesmos direitos ou que ditam as regras para os outros membros da casa. Lembre que a hierarquia e os limites são vitais para o cão.

A TROCA

O condicionamento opera por meio de trocas positivas do ponto de vista do condicionado e não do condicionador, ou seja, o que parece uma boa troca para você pode não ser para o seu cão em determinada situação.

Devemos desenvolver a capacidade de observar o que é realmente uma troca positiva para o nosso cão e o que não é, em cada situação. Só assim poderemos condicioná-lo de forma eficaz.

NESTE CAPÍTULO VOCÊ VAI APRENDER

- que a recompensa é fundamental para o sucesso do treinamento;
- a escolher os objetos de troca;
- a valorizar as recompensas;
- quais as alternativas quando não tiver nada a oferecer.

TIPOS DE TROCA

Devemos ter em mente que, se quisermos modificar ou controlar o comportamento do animal com o treino, será sempre necessário haver uma troca interessante para o cão. Quando digo interessante, quero dizer algo que valha a pena para o seu cão, justificando a mudança de atitude pelo prêmio ou recompensa.

Você deve estar se perguntando se ao criar o hábito de receber algo em troca o seu cão só obedecerá quando você tiver algo para lhe dar. É mais ou menos a esse ponto que quero chegar: um condicionamento não é possível se não houver um estímulo significativo — positivo ou negativo —, isso significa que o cão aprenderá na base de troca e se comportará de acordo com o esperado na expectativa da troca, mesmo que às vezes ela não se dê.

Muitas pessoas acreditam que seu cachorro as obedecerá simplesmente em troca de um afago, ou mesmo de uma palavra carinhosa. Há cães para os quais esse tipo de recompensa é suficiente, seja por valorizarem muito seu dono ou por sua própria índole, mas a verdade é que são muito mais frequentes as situações de donos que imaginam que um carinho será suficiente, quando isso, naquele caso, não é verdade.

OBJETOS DE TROCA

Existem inúmeras atividades e objetos que podem ser utilizados como recompensas. Os melhores reforços são aqueles pelos quais o cão naturalmente já demonstra grande interesse, como petiscos, passeios, brinquedos, andar de carro.

Uma boa troca para um cachorro que puxa a coleira para ir passear de carro seria, quando ele obedecesse o comando de deitar e esperar, dar-lhe a recompensa do passeio de carro, ou seja, a melhor recompensa é o que seu cão mais deseja naquele momento.

Alguns reforços funcionam bem em certas condições, como, por exemplo, no espaço do seu quintal, mas não funcionam tão bem quando o seu cão está solto no parque. Nesse caso, temos duas opções: uma, a troca do reforço por alguma coisa ainda mais interessante para o cão; outra, não soltá-lo durante as primeiras aulas do treinamento para diminuir tanto a ansiedade do cachorro quanto a possibilidade de ele se distrair.

Petiscos costumam ser o reforço universal, já que são poucos os cães que não adoram esse tipo de recompensa. Algumas pessoas são contra os petiscos, ou qualquer outro tipo de comida, como reforço para o treino, alegando que você será obrigado a carregar petiscos a maior parte do tempo, e que estes só funcionam bem quando o cão está com apetite. Apesar de termos de controlar a quantidade ingerida de petisco tanto para não desbalancear a dieta quanto para evitar que o cão perca o interesse por eles, são os reforços e recompensas mais utilizados pela maioria dos bons profissionais.

A ração do cão também pode ser utilizada como recompensa, principalmente em casos de treinamentos mais intensivos, sem o risco de desbalancear a dieta. Nesses casos separamos o que o cão deve comer em cada refeição e utilizamos a porção durante o treino.

Objetos como bolas, por exemplo, costumam excitar o cão mais do que petisco, o que pode ser adequado para melhorar a performance e a rapidez com que um comando é executado, mas pode excitá-lo demais ao tentarmos ensinar um comando mais passivo como o "deita", por exemplo. Por isso, essas trocas são mais interessantes se usadas quando nosso objetivo é excitar o cachorro.

Uma desvantagem de usar objetos é que assim que os damos para o cão, temos que pegá-los de volta, e isso às vezes é complicado, pois o cão pode começar a brincar de cabo de guerra ou, ainda, sair correndo para atrair sua atenção. Se o objeto for a recompensa, como poderemos condicionar o cachorro a largá-lo? Primeiramente devemos ter certeza de que o cão ficará próximo o bastante para conseguirmos recuperar o objeto. Caso haja a possibilidade de o cão fugir (brincar de pega-pega), amarre-o antes de dar-lhe o objeto e puxe a corda em sua direção depois da entrega, até que o objeto fique ao alcance de sua mão. Agarre o objeto e rapidamente ordene ao cão que o solte, enquanto lhe oferece um petisco. Evite ficar puxando o objeto, pois isso costuma estimulá-los a segurar com mais força. Jamais corra atrás do seu cão se ele estiver fugindo com o objeto, pois é exatamente o que ele quer, e assim o estaremos recompensando pela desobediência! Fica evidente que cada recompensa tem seus defeitos e qualidades, mas o importante é utilizar um reforço que valha bastante para seu cão.

DESAFIOS E RECOMPENSAS

Conforme o adestramento evolui, o cão começará a encarar como um desafio conseguir a recompensa e, a partir daí, o prêmio não terá tanto valor para seu cão, passando a significar que ele agiu corretamente. Quando se atinge esse ponto, qualquer objeto ou mesmo um afago têm um enorme valor.

É interessantíssimo observar um cão se esfalfando para ganhar uma bola e, assim que a ganha, ele a devolve ao treinador por livre e espontânea vontade e se prepara com todo entusiasmo para efetuar um novo comando. Existem vários truques e dicas para se atingir esse ponto, e falarei mais sobre a vontade de vencer o desafio na parte que trata de técnicas de adestramento.

Conforme o treinamento feito na base da troca for evoluindo, mais tempo o seu cão será capaz de esperar para receber o reforço e executará os comandos mais rápido e de forma eficiente.

O VALOR DA TROCA

Não devemos insistir ou obrigar nosso cachorro a obedecer em troca de qualquer coisa. Assim que nos dermos conta de que num determinado momento aquela troca não vale a pena para o cão, não devemos insistir, e sim procurar uma outra estratégia. Se insistirmos, estaremos diminuindo o valor do objeto no conceito do cão e retardando o treinamento. Por exemplo, um cão que esteja brincando com outros na maior excitação para e responde ao seu chamado imediatamente; quando chega junto de você ganha apenas um biscoitinho do qual ele nem gosta muito — o cachorro acaba de aprender uma lição: cometeu um erro, não deveria ter vindo dessa vez, pois perdeu vinte segundos de uma superbrincadeira em troca de um biscoitinho sem graça! É esse o ponto que deve sempre ter em mente: eles estão sempre aprendendo, lembra? Portanto, às vezes, o resultado de uma troca não satisfatória pode prejudicar o condicionamento.

COMO VALORIZAR UM OBJETO DE TROCA

Existem técnicas para aumentar o valor do objeto/recompensa para o cão. O ideal é ter uma recompensa tão valiosa para o animal que qualquer outro estímulo não o motive mais do que a possibilidade de ganhar o objeto. É possível atingir esse ponto, e nem é tão difícil assim! Uma bola, por exemplo, já costuma ter um determinado valor para seu cão, mas, se tiver a capacidade de tornar a pessoa ou o cachorro que estiver com ela o centro das atenções, terá ainda mais valor. Para isso, guarde uma bola (ou um determinado objeto) e, sempre que achar adequado, ofereça-a para o cachorro com o maior entusiasmo; se ele a apanhar, faça carinho nele e demonstre atenção, brincando com o cão até que ele solte a bola; assim que isso acontecer, apanhe-a rapidamente e brinque com ela. Caso haja outros cachorros que gostem da bola (objeto), ela se tornará mais atraente para seu cão, caso contrário, brinque você com ela, dizendo-lhe coisas, como se estivesse conversando com ela, de certa maneira ignorando seu cão até que ele comece a prestar atenção na bola. Após essa brincadeira, guarde o objeto para que ele não perca a graça, já que ele deve significar

sempre alegria e divertimento. Se a técnica for feita corretamente, logo a bola (objeto) terá um grande valor para seu cão, e ele vai obedecê-lo com o maior prazer para poder recebê-la.

Quando utilizamos alimentos como objeto de troca, também é possível fazer essa valorização. O ideal é que o cão goste muito do alimento utilizado e que esse petisco não esteja disponível para o cão em outro momento, senão no treino. Por exemplo, se seu cão adora salsicha, ele ganhará apenas durante o treinamento, fazendo comandos. Nunca dê a salsicha fora do treino ou sem que ele tenha feito algo para merecê-la.

O estado nutricional do animal também pode influir muito no resultado treinamento. Cães que estão acima do peso se interessam e se esforçam menos para ganhar petiscos do que cães que estejam no peso ideal.

Considera-se como estado nutricional ideal para um cão, quando visto de cima, ter o abdômen levemente afinado atrás das costelas, que deverão estar um pouco aparentes, podendo ser sentidas com facilidade. Animais um pouco mais magros vivem mais, são mais saudáveis e mais ativos.

Hoje fala-se muito em restrição calórica, que é uma diminuição das calorias da dieta sem privar o cão de uma alimentação balanceada com todos os nutrientes necessários. Existem muitas pesquisas não só em cães, mas em várias outras espécies de animais, que comprovam que os animais submetidos a restrições calóricas leves têm maior longevidade, com menor ocorrência de problemas de saúde durante o envelhecimento. Cada ração tem em sua embalagem uma tabela especificando a quantidade diária correta a ser oferecida ao cão. Portanto, não se sinta culpado em restringir um pouco a alimentação do seu cão — ao contrário: alimentar um animal em excesso, sem oferecer a ele nenhuma atividade física ou estímulo mental é que poderia ser considerado um mau-trato.

ALTERNATIVAS PARA A TROCA

E o que podemos fazer quando queremos que o cachorro venha até nós mas não temos nenhuma troca a altura para oferecer? É simples. Durante o começo do aprendizado, evite desapontar o seu cachorro e aja de modo inteligente. Atraia a atenção dele sem que ele perceba que você está querendo fazer isso. Uma das melhores maneiras é sair correndo em uma direção e fingir que não está ligando a mínima para o seu cachorro. Dificilmente ele deixará de segui-lo e de se aproximar de você depois de alguns segundos. Cuidado, porque esse truque não funciona quando empregado com muita frequência! Mais cedo ou mais tarde o cachorro entende o truque e passa a ser um divertimento para ele enganá-lo ou ignorá-lo. Outro caso seria a necessidade de pôr o seu cachorro num lugar de que ele não goste ou levá-lo para fazer alguma coisa que ele detesta, por exemplo: colocá-lo dentro do canil, levá-lo à cozinha para tomar remédio, ao jardim para tomar banho etc. Jamais o chame! Simplesmente vá até onde ele estiver e pegue-o, não lhe dê chance de escapar, e assim, sempre que pressentir que algo de "ruim" está para acontecer, ele vai se conformar e não vai tentar fugir, pois, se tentar, sabe que vai fracassar. O importante é não trocar uma obediência ao seu comando por uma coisa desagradável.

NA CONTRAMÃO DO APRENDIZADO

É impressionante o número de pessoas que "treinam" seus cachorros para que não atendam quando são chamados! Elas geralmente me fazem o mesmo tipo de observação quando vou instruí-las a esse respeito: "Meu cachorro tem de vir na hora que eu quero, e não quando tiver uma bola ou um biscoitinho à sua espera! Ele vai ficar interesseiro".

Vamos imaginar a situação, em primeiro lugar, do ponto de vista do cachorro: "Minha dona me solta no parque que eu adoro, mas se eu for na direção dela quando ela disser 'aqui' ou 'vem', ou deixar que ela chegue perto enquanto fala, provavelmente levarei uma bronca e até poderei apanhar. O problema é que eu fico confuso porque, em casa, quando ela fala 'aqui' e vou até ela, está tudo certo".

Agora, do ponto de vista da dona: ela solta o cachorro, chama-o de volta e ele não vem imediatamente; daí ela começa a berrar e, assim que pega o cachorro, dá-lhe uma bronca ou bate nele. E ainda acha que ele aprendeu uma lição. É o tipo de pessoa que optou por um treinamento que faz sentido para ela, mas não para seu cão. Eu sinto pena só de imaginar a confusão na cabeça desse pobre cachorro!

Existem também os animais "malandros", são os cães que entendem o seu chamado, mas também sabem que o que você tem a oferecer é uma corrente para prendê-los, marcando o final da brincadeira, e nada mais! Mas acredite que, se seu cão é malandro, as chances de você tê-lo ensinado a ser assim são enormes. Um cão adestrado corretamente, isto é, com o emprego das quatro leis derivadas dos conceitos fundamentais, jamais se torna malandro, a não ser que você considere malandragem o cachorro fazer exatamente o que você quer que ele faça!

APLICAÇÃO DA LEI DA TROCA

1. Sim, todos nós agimos por amor, respeito e interesse (troca)!
2. A troca deve sempre valer a pena para seu cão.
3. Se o seu cão não mostrar interesse pela troca, suspenda imediatamente o adestramento e modifique as condições para introduzir alguma coisa mais valiosa para ele.
4. Quando não tiver coisa alguma para trocar, simplesmente não ordene nada! Se você precisar que ele vá a algum lugar ou assuma uma determinada posição, leve-o ao local ou faça o que deve ser feito, sem lhe dar a opção de deixar de fazer.
5. Algumas trocas obviamente vantajosas para o cão em casa muitas vezes perdem seu atrativo quando ele estiver solto ou passeando no parque.
6. O amor e a vontade de obedecer devem ser conquistados aos poucos. Isso não pode ser imposto!
7. É importantíssimo que o cão obedeça sempre aos seus comandos, independentemente de você achar que o está subornando e que ele o está atendendo movido por interesse!
8. Não devemos esperar que todos os cães se satisfaçam apenas com carinho ou com palavras carinhosas.

A ATENÇÃO

Quanto maior a atenção, melhor e mais rápido será o aprendizado.

Quanto mais seu cão estiver atento a você, mais depressa executará os comandos e mais rapidamente aprenderá novos truques.

NESTE CAPÍTULO VOCÊ VAI APRENDER

- que o grau de atenção depende das técnicas de aprendizado;
- como reforçar a atenção para você ou para um objeto;
- a ignorar seu cão como forma de adestramento;
- a usar a atenção como um estímulo.

A ATENÇÃO: CONSEQUÊNCIA E CAUSA

A atenção que seu cão prestará em você será resultado das outras técnicas descritas anteriormente. Ao mesmo tempo em que é uma consequência e um indicativo da boa aplicação das demais técnicas, a atenção também é causa, provocando um aproveitamento melhor das atividades. Como acontece com nós mesmos, quanto mais prestarmos atenção, maiores são nossas chances de obter sucesso na comunicação. Um bom exemplo disso são os cães que participam de provas: eles prestam tanta atenção em seus condutores que nos dão a impressão de que aprenderam a ler seus lábios.

Imagine por um instante que você é um cão cujo dono, um humano justo, além de entendê-lo, ama-o independentemente do que você faça, e toda vez em que lhe pede alguma coisa, desde que você a execute, existe sempre a chance de ele lhe dar em troca o que você mais estava desejando. Dá para não prestar atenção em alguém com essas qualidades? E se essa pessoa, além disso, ainda tiver a mania de falar baixo, será ainda mais importante prestar o máximo de atenção para não perder nada! Os cães provavelmente pensam dessa forma em relação aos seus donos.

REFORCE A ATENÇÃO

Existem vários truques para aumentar o grau de atenção do seu cão. De vez em quando, falar baixo é uma delas, outra maneira é ter um comportamento imprevisível; por exemplo, ao passear ou andar pela casa, mude de direção subitamente, procurando enganar o cão — aqueles que gostam de ir à frente logo vão começar a prestar mais atenção, já que podem ser enganados quanto ao rumo que seu mestre irá seguir. Também podemos elogiar o nosso cão quando ele estiver prestando atenção em nós, ou ignorá-lo quando não estiver.

Uma das maneiras de aumentar o grau de atenção do cão é, ao fornecer o reforço (comida, bola ou carinho), fazê-lo de maneira entusiástica e rápida. Por exemplo, se a intenção era fazer o cão sentar e ele fizer isso, deve-se imediatamente jogar a bola para ele, porque, caso o cachorro não esteja prestando atenção, é provável que leve um susto ou não consiga pegá-la, o que fará com que fique mais atento da próxima vez.

O CACHORRO COMO FOCO DA ATENÇÃO

Como nós, os cães também querem que prestemos atenção neles. Quase todos os cães adoram chamar a atenção, principalmente das pessoas de sua matilha, por isso repetem as coisas que provocam seu dono. Mesmo bronca pode se transformar num reforço positivo, aumentando a frequência com que o cão realiza um determinado ato. Quando mal executadas,

os cães interpretam nossas broncas como interação, e provavelmente irão repetir o ato para poder interagir novamente. Animais que vivem em grupos dependem um do outro, portanto a interação é algo indispensável, fundamental.

Ao evitar chamar a atenção ("dar atenção") do seu cachorro quando ele estiver fazendo algo de errado você estará empregando uma ótima técnica que produz resultados muito eficientes. Neste livro daremos várias dicas de como corrigir da melhor maneira algumas manias desagradáveis de nossos cães sem a necessidade de qualquer violência.

O REVERSO DA ATENÇÃO

Sei que é difícil imaginar que o cachorro valoriza tanto a nossa atenção, mas pode acreditar que uma das piores coisas para o seu cão é ser ignorado. Essa é uma técnica valiosa, e, quanto mais prática tivermos em utilizá-la para o adestramento, melhor será o resultado.

Saber ignorar o nosso cão é uma arte, principalmente devido às suas habilidades naturais para chamar a nossa atenção. Alguns começam a fazer gracinhas, e é quase impossível não cair na gargalhada; outros fazem caras desoladas, que partem nosso coração. Independentemente da técnica utilizada pelo seu cão, é importante não cair no truque, pois o condicionamento irá por água abaixo, a não ser que o objetivo seja treinar o seu cão a fazer gracinhas ou cara de coitado.

A ATENÇÃO: ESTÍMULO, E NÃO LIMITAÇÃO

A atenção tem o poder de estimular determinadas partes do cérebro e inibir outras. Quando um gato passa na frente do seu cachorro, ele fica tão interessado no gato (prestando atenção) que talvez não o obedeça. Isso não deve deixá-lo desanimado, pelo contrário. Num estágio avançado da atenção a você ele irá valorizar muito a troca que lhe oferecer, seja ela qual for, pois o universo do cão estará girando ao seu redor. A atenção é tanta que as coisas em volta perdem espaço nos sentidos do seu cão e consequentemente perdem valor. Nessa fase o cão gosta tanto de brincar (adivinhar o que o dono quer) que impressiona quem estiver assistindo o adestramento.

Adestrar um cão dessa forma não significa que ele vai se tornar um robô e que perderá toda a naturalidade, mas sim que aprenderá a se comunicar com você de forma muito mais eficiente e terá prazer em aprender. Quando você não exigir sua atenção, ele será um cão normal, tão natural quanto os outros, com uma exceção: terá um superdono!

APLICAÇÃO DA LEI DA ATENÇÃO

1. Considere-a uma consequência da aplicação correta das demais técnicas.
2. Lembre-se de que ela é um fator importantíssimo para acelerar o aprendizado.
3. Só dê atenção ao seu cão nas situações positivas e ignore-o quando ele agir errado.
4. Estimule-o a prestar mais atenção em você. Seja carinhoso ou recompense-o de alguma maneira, simplesmente por ele ficar observando você.
5. Varie a velocidade da entrega do reforço; o cão, não sabendo o momento exato em que receberá a recompensa, irá prestar mais atenção.
6. Engane-o sobre a direção e o sentido em que vão caminhar. Assim que ele ultrapassar você, mude de direção, e aos poucos o cão irá aprender que a única maneira de se sair bem nos passeios ou nos movimentos dentro de casa será observando você. Procure agir imprevisivelmente.
7. Fale baixo e com animação: isso vai obrigá-lo a prestar atenção em você.

Segunda Parte

As Fases do Desenvolvimento Cerebral

NESTE CAPÍTULO VOCÊ VAI APRENDER:

- o que se deve fazer para auxiliar no desenvolvimento dos sentidos do filhote;
- qual é a melhor idade para socializar seu cão;
- aquilo que pode torná-lo agressivo;
- a idade com que o cão pode começar a receber educação e adestramento;
- o que pode ser feito para que o cão se torne um animal equilibrado.

PERÍODO INICIAL — DO NASCIMENTO ATÉ O 50º DIA

Os filhotes devem ficar com a mãe e os irmãos neste período, pois, a partir do 21º dia até o 50º dia, eles aprendem a lidar com outros cães, seja brincando ou brigando, e a aceitar a disciplina imposta pela mãe. Os animais que são removidos da ninhada antes do fim desse estágio têm mais dificuldade para se relacionar com outros cães, são mais agressivos, apresentam problemas para cruzar e respondem pouco ao treinamento.

Nesta fase podemos auxiliar no desenvolvimento dos órgãos sensoriais. Massageá-los, deixar o rádio ligado em baixo volume ou, ainda, não deixá-los totalmente no escuro são providências que estimulam o desenvolvimento do sistema nervoso e intensificam a relação entre as funções cerebrais e as atividades sensoriais.

Quando não são garantidas as condições necessárias para o desenvolvimento cerebral, pode ocorrer, por exemplo, o problema conhecido como *nerve-blind*, explicado pelo doutor Joel Dehasse e pela doutora Colette Buyser em seu livro *Comportamento e educação do cão*. Eles afirmam que se os filhotes forem criados na escuridão até a maturação do nervo óptico, ficarão cegos.

Os sentidos dos cães são extremamente aguçados, por isso devemos tomar alguns cuidados para que se desenvolvam corretamente.

PERÍODO DE SOCIALIZAÇÃO — DO 50º AO 85º DIA

Ao atingir esta fase, o cérebro do filhote já está neurologicamente completo e ele é capaz de aprender tanto quanto um cachorro adulto. É muito importante, durante este período, apresentar tudo o que você puder ao cãozinho. Por exemplo: aspirador de pó, carros, sons da rua, programas de televisão, pessoas de todas as etnias, outros animais etc. Normalmente nesta fase o filhote ainda não se encontra completamente imunizado, portanto não o exponha a riscos desnecessários, mas também não deixe de sociabilizá-lo. Discuta com seu veterinário quais são as melhores maneiras de apresentar o mundo para seu cãozinho sem ignorar o perigo de adquirir alguma doença contagiosa.

A Sociedade Veterinária Americana de Comportamento Animal (AVSAB) declara que todos os filhotes devem receber socialização mesmo antes de estarem completamente vacinados, tomando-se os cuidados apropriados quanto ao risco de infecções, como evitar colocá-lo no chão de lugares públicos e garantir que todos os contatos sejam com animais saudáveis e vacinados. Recomendam que as aulas de socialização e habituação devam iniciar com 7 ou 8 semanas de idade após terem recebido uma primeira dose de vacina, 7 dias antes, e uma desvermifugação. O esquema de vacinação deve ser mantido no decorrer do período de socialização.

Por que devemos mostrar tudo o que for possível ao cãozinho? A resposta é simples: porque é a melhor fase para ele se socializar e habituar-se. Passado esse período, o cérebro do cão modifica-se e qualquer socialização será muito mais difícil e demorada. Para entendermos melhor o porquê disso, devemos imaginar o cão vivendo numa matilha: até os três meses os filhotes só entram em contato com outros cães do grupo e animais que não oferecem perigo para eles, pois os membros da matilha impedem a aproximação de animais perigosos para os cãezinhos; mas, depois dos três meses, é importante que os filhotes já percebam sozinhos a diferença entre "amigos" e "inimigos", sejam eles seres vivos ou inanimados, e não queiram se socializar com qualquer coisa, já que nessa idade começam a querer explorar o território mais longe da mãe e a ter contato com presas e predadores naturais.

Cães novos mantidos isolados do contato social com o homem e outros animais apresentam uma síndrome caracterizada por extrema redução tanto da atividade em geral quanto da procura por esses mesmos contatos. Os filhotes permanecem imaturos e insociáveis e desenvolvem comportamentos anormais e movimentos estereotipados. O cão pode desenvolver alterações como tremores, correr atrás de seu rabo, tornar-se agressivo por sentir medo, além de mostrar deficiência na aprendizagem e apresentar reações vagarosas a novos estímulos.

A primeira fase do medo, que atinge seu auge entre a 8ª e a 11ª semana, encaixa-se nesse período, por isso procure não expor seu filhote a experiências assustadoras, porque é uma fase de extrema vulnerabilidade, e qualquer ocorrência que o atemorize causará um medo permanente da coisa ou da situação envolvida. Alguns veterinários recomendam dar calmante para filhotes desta idade quando houver tempestades ou em dias de festa ou jogos (devido aos fogos de artifício), para que eles não fiquem traumatizados com os estampidos. Só as pessoas que têm cães que sofrem com o terror de trovão e fogos é que sabem do que eles são capazes de fazer nessas ocasiões. Uma vez fui chamado para auxiliar a resolver o problema de um Mastiff que atravessou uma janela de vidro, cortando-se todo, só por causa de um trovão!

Se o cãozinho apresentar hérnia ou algum outro problema que exija uma intervenção cirúrgica, caso não seja possível adiá-la, procure um veterinário que seja extremamente habilidoso tanto no trato físico quanto no emocional.

PERÍODO DE DOMINÂNCIA — DA 12ª À 16ª SEMANA

Nesta fase os filhotes começam a testar os outros membros da matilha para saber quem é o líder. É importante mostrar ao cãozinho, carinhosamente, que você é o líder. Ele irá testá-lo, na maioria das vezes, por meio de brincadeiras. Demonstre controle, principalmente nas brincadeiras mais agressivas ou em que haja algum tipo de disputa. Qualquer tipo de atividade violenta, mesmo que lúdica, é desaconselhável, principalmente nesta fase. Ensine ao cão comandos simples e exija-os em troca de comida, atenção ou qualquer outra recompensa — esse é um processo que ajuda incrivelmente a estabelecer uma hierarquia correta.

Segundo Clarence Pfaffenberger, o temperamento de seu cachorro no final desta fase se estabilizará, e ele provavelmente manterá suas características para o resto da vida.

PERÍODO DE INDEPENDÊNCIA — DO 4º AO 8º MÊS

É assim chamado porque abrange o período em que o cão começa a querer se mostrar independente e dono do seu focinho. Mantenha o controle do seu cão durante esta fase para que ele não se acostume a ignorá-lo. Continue adestrando-o e procure fazer com que ele o obedeça para ser alimentado, para passear etc. Nesta fase é aconselhável que você mantenha seu cão numa guia longa quando estiverem passeando em parques e jardins, para que ele não aprenda a ir para o lado oposto quando você o chamar.

Com início no 6º mês e prolongando-se até o 14º, invadindo, portanto, o período da adolescência, ocorre a segunda fase do medo. Não é tão preocupante quanto a primeira fase, mas você deve continuar aumentando a autoconfiança de seu cão com o adestramento. Ele demonstrará medo de coisas novas ou mesmo de situações familiares. Simplesmente evite traumas e continue sociabilizando-o.

PERÍODO DA ADOLESCÊNCIA ATÉ A MATURIDADE — DE 1 A 4 ANOS

No momento em que seu cão alcança a maturidade sexual, o que ocorre antes nas raças menores e mais tarde nas raças maiores, ele testa novamente o "poder" do líder da matilha. Mais do que nunca é importante não deixar o cão ganhar nenhuma disputa que envolva agressividade ou contato físico.

Embora muitos cães sintam-se confortáveis sem ocupar a posição de liderança da matilha, outros tentam dominar seu dono, mostrando sinais de agressividade. Não se assuste, este é um comportamento normal, embora deva ser cuidadosamente inibido.

Para que seu cão volte a aceitar sua posição na hierarquia, continue o treino e jamais se mostre atemorizado. Todo sinal de agressividade deve fracassar; ou seja, não desista de lhe dar banho caso ele morda a sua mão etc. Caso não se sinta seguro para uma situação de disputa (isso muitas vezes pode ser mesmo perigoso), não provoque nem desafie, procure imediatamente um profissional competente e peça-lhe ajuda.

APLICAÇÃO PRÁTICA

1. No período inicial, manipule os filhotes todos os dias, acaricie-os e vire-os de ponta-cabeça (para que desenvolvam o sentido de equilíbrio).
2. Introduza estímulos sonoros no dia a dia dos cãezinhos, deixando-os ouvir rádio, batendo palmas etc.; e também visuais, como espelhos e lâmpadas.
3. Coloque um carpete áspero no lugar em que os filhotes estiverem aninhados, para que desenvolvam saudavelmente o sistema locomotor.
4. No período da socialização, para que ela seja bem-feita, precisamos acostumar o cachorrinho com novos barulhos, pessoas, animais, cheiros etc., sempre tomando muito cuidado para que ele não se assuste nem se machuque, pois grande parte da fase de socialização coincide com a primeira fase do medo, cujo pico é entre a 8ª e a 11ª semana.
5. Cuide também, ao socializá-lo, para que ele não se exponha ao contato com animais não vacinados.
6. No período da dominância, reforce carinhosamente sua posição de líder, pois seu cãozinho irá testá-lo.
7. Dos 4 aos 8 meses, use uma guia longa quando for passear com seu cão, porque ele dará mostras de independência, dirigindo-se para o lado oposto quando você chamá-lo, o que não deve ser permitido.
8. No período que compreende a adolescência e chega à maturidade, não permita que seu cão ganhe qualquer disputa em que haja contato físico com qualquer pessoa.
9. Não se assuste se seu cão adolescente apresentar sinais de agressividade em relação a você, mas controle a situação com cuidado para que isso não se torne um hábito. Se acontecer, não recue; se não estiver seguro, chame um profissional.

Terceira Parte

EQUIPAMENTOS

Existem inúmeros acessórios que nos auxiliam no adestramento, mas, para que funcionem como esperado, é preciso saber utilizá-los da maneira correta.

Classificando-os por tipo e função básicos, encontraremos no mercado:

- *clickers*: aparelho para sinalizar o comportamento exato que será recompensado;
- petiscos e recompensas: comida ou objetos que o cão adore;
- brinquedos: objetos que seu cão pode morder e brincar a qualquer momento;
- coleiras: ajudam a identificar e a conter o cão;
- guias e enforcadores: ferramentas para o adestramento, e não símbolos de punição e autoridade;
- caixas de contenção/transporte: a toca do seu cão, lugar onde ele deve se sentir seguro;
- produtos e objetos para "punição": tudo aquilo que é utilizado para produzir sensações desagradáveis em seu cachorro, sem machucá-lo.

CLICKERS

Clickers são, essencialmente, um jeito abreviado de dizer "muito bem". Estão sendo utilizados cada vez mais e possuem indiscutível utilidade.

O princípio é simples: você treina o seu cachorro a associar determinado som (*click*) com recompensas, e passa a utilizá-lo sempre que ele apresentar o comportamento desejado. Em pouco tempo, o cão estará obedecendo seus comandos para que possa ouvir o *click* e receber a recompensa.

Como fazer isso? Leia o capítulo sobre técnicas de adestramento.

O *clicker* ajuda o seu cão a reconhecer exatamente o comportamento que gerou a recompensa. Ou seja, sempre que ele escutar o *click*, saberá que executou o comportamento correto e poderá receber a recompensa. Por ser instantâneo, é uma ótima maneira de deixar claro para o cão que ele recebeu a recompensa por sentar, e não por latir, por exemplo, mesmo que tenha latido logo após ter sentado. Ajuda o cão a identificar exatamente o comportamento desejado por ser bem mais rápido e preciso do que, por exemplo, se você falar: "muito bem...".

O *clicker* também funciona bem a distância. É impraticável, por exemplo, jogar um petisco para o cão no exato momento em que ele salta, mas o click permite que "diga" ao cão que acertou e que pode vir buscar a recompensa.

Existe uma infinidade de *clickers* no mercado, embora qualquer objeto que faça um barulho rápido e preciso funcione como tal. Um estalo com a boca pode ter o mesmo resultado de um *clicker*, desde que firme e exato.

Apito ultrassom: Somente os cães o escutam. Pode ser utilizado para treinar cães a distância sem incomodar as demais pessoas. Deve ser mantido o tempo todo na boca, caso contrário não será possível acioná-lo com precisão.

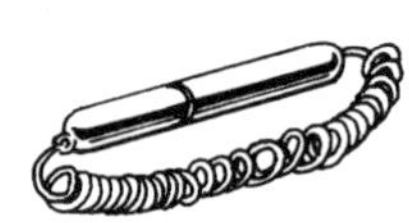

Apito: Útil para treinar cães a distância, mas pode perturbar as demais pessoas no local. Também precisa ser mantido na boca durante o treinamento.

***Clicker* propriamente dito:** Fácil de segurar na mão ou prender no dedo, possibilitando ficar com a boca livre para dar comandos orais. É o *clicker* mais utilizado por profissionais.

Estalo com a boca: Muitos adestradores não o consideram tão eficaz como o *clicker* propriamente dito. Na prática funciona bem, desde que seja firme e exato. É muito utilizado pela praticidade e a técnica mais empregada por quase todos os adestradores de minha equipe.

PETISCOS

Os petiscos são alimentos que nos ajudam a recompensar o cão. Não devem desbalancear a dieta do animal. Quanto mais saudáveis ou quanto menos interfiram na dieta, melhor — existem petiscos produzidos especialmente para o treinamento. Além dessas características, é muito importante que seu cão os adore para que sirvam ao propósito do adestramento.

Os petiscos não devem substituir a refeição do cão. Se o treino for feito utilizando a própria ração do cão como recompensa, a quantidade de ração utilizada no treino deve ser subtraída da quantidade que o cão comeria normalmente.

É aconselhável quebrar ou cortar os petiscos em pedaços bem pequenos antes de utilizá-los como recompensa. Por exemplo, a salsicha pode ser cortada em mais de dez pedaços, se cada pedaço for uma troca interessante para o cão.

Brinquedos também podem ser utilizados como recompensa. Escolha o brinquedo de que seu cão mais goste. Mas, quando estiver adestrando próximo a uma rua ou estrada, evite as bolas, pois elas podem rolar e colocar o seu cão em risco.

Os brinquedos ideais para o adestramento são aqueles que podem ser retirados facilmente da boca do cachorro. Os maiores geralmente são mais fáceis de tirar do cachorro e também não oferecem o risco de que ele possa engoli-los acidentalmente.

Algumas recompensas que podem ser utilizadas:

- petiscos comerciais;
- pedaços de salsicha;
- pedaços de queijo;

- a própria ração do cão;
- carne cozida;
- brinquedos.

BRINQUEDOS PARA DISTRAÇÃO, DIVERTIMENTO E REDUÇÃO DO ESTRESSE

Além de se tratar de um divertimento para seu cão, os brinquedos ajudam a evitar que ele eleja o pé da mesa, o controle remoto da televisão ou outras peças de uso doméstico como objetos próprios para serem roídos e destruídos.

Os brinquedos também diminuem o estresse e auxiliam incrivelmente no adestramento.

Os cãezinhos, como as crianças, costumam enjoar dos brinquedos, portanto é aconselhável trazer sempre novidades e guardar parte dos brinquedos mais antigos, por algum tempo, para depois devolvê-los ao filhote. Pode ser também que seu cão se apaixone por um brinquedo e passe a idolatrá-lo. Ótimo! Você já terá, então, uma excelente ferramenta para o adestramento, que poderá ser usada como recompensa!

Para demonstrar que os brinquedos são para o seu cãozinho se divertir, brinque com eles e incentive o cão a fazer o mesmo. Dessa forma você estará deixando claro quais são os objetos que seu cão tem permissão para mastigar e brincar, além de deixar o seu cheiro neles, o que costuma funcionar como um ótimo atrativo para os filhotes.

Os brinquedos mais recomendados são os de borracha mole ou de náilon duro, grandes o suficiente para que o cão não os engula.

Dica: Congelar o brinquedo antes de dar ao seu filhote alivia a dor que ele sente na gengiva na troca de dentição, controlando melhor a ansiedade que ele tem de roer tudo.

Existem ainda alguns brinquedos que, além de aliviar o estresse, proporcionam algum tipo de jogo que envolve o seu cão e estimula seus reflexos ou seu raciocínio.

Atenção: Há objetos e produtos que não devem ser empregados como brinquedos. Devemos procurar usar sempre aqueles fabricados especificamente para cães.

Devemos tomar cuidado com ossos naturais, pois, se não esterilizados corretamente, poderão contaminar seu cachorro com algum agente infeccioso.

Tenha cuidado ao escolher os brinquedos para o seu cão, pois muitos deles podem causar sérios prejuízos à saúde do animal ou até mesmo matá-lo.

Muitos cães são socorridos por danos causados por brinquedos inadequados, que causam desde quebra de dentes até obstruções gastrointestinais.

Outros brinquedos, apesar de não causarem nenhum dano imediato ao cão, podem, com o tempo, gastar excessivamente os dentes do animal ou quebrá-los. Essa categoria abrange os ossos naturais ou defumados, além de outros brinquedos duros.

Objetos não digeríveis, como bolas de gude, apitos, pedaços de borracha, sininhos, linha etc., que possam ser engolidos pelo cão, podem causar obstrução do aparelho digestivo.

Para evitar problemas, procure brinquedos para cães que não despedacem, a fim de que seu cachorro não corra o risco de engolir parte deles, não liberem substâncias nocivas e não gastem excessivamente os dentes do seu cão. Brinquedos digeríveis podem ser "comidos" sem grandes problemas, como os courinhos para cães. Alguns dos sintomas comuns quando cães engolem objetos não digeríveis são: diarreia, vômito, estufamento da barriga e dificuldade de defecar. Se houver suspeita de que seu cão tenha engolido algum brinquedo, consulte um veterinário.

BRINQUEDOS RECOMENDADOS

Bolas de tênis: São resistentes, podem molhar e não despedaçam. Algumas raças de cães conseguem furá-las com os dentes.

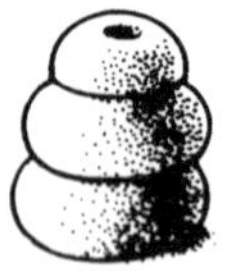

Brinquedos de borracha macia: Alguns brinquedos de borracha macia são indestrutíveis, permitem que o cachorro os morda sem gastar nem quebrar os dentes e pulam de maneira desordenada, aumentando a diversão do animal.

Brinquedos de materiais digeríveis: Apesar de poderem ser despedaçados e engolidos, não causam obstrução do aparelho digestivo, pois são digeríveis.

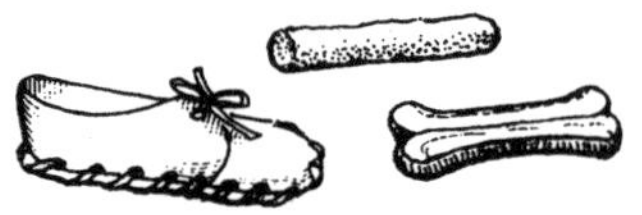

Ossos de náilon duro: São brinquedos de excelente qualidade, não desgastam os dentes excessivamente e alguns deles podem até prevenir acúmulo de tártaro.

"Cubo Mágico": Este cubo, dependendo da maneira pela qual é virado, solta quantidades variadas de ração. Brinquedos desse tipo estimulam o raciocínio do cão e podem entretê-los por horas. São recomendados para cães ansiosos e ativos.

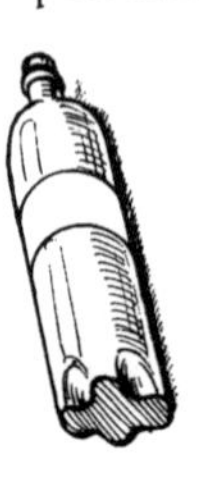

Garrafa Pet: É uma forma fácil e barata de enriquecer o ambiente. Faça vários furos na garrafa e coloque dentro dela alguns petiscos picados ou a própria ração. Inicialmente faça furos maiores e ensine o seu cão a rodar a garrafa no chão, mostrando os petiscos que caem dela quando isso acontece. Pode ser oferecida ao animal quando você sair de casa, mantendo-o ocupado em uma divertida atividade. É uma alternativa ao "Cubo Mágico".

Coco verde: Ótima distração principalmente para cães de grande porte que adoram destruir coisas. O cão se diverte tirando e desfiando as lascas da casca do coco.

CUIDADO COM ESTES BRINQUEDOS

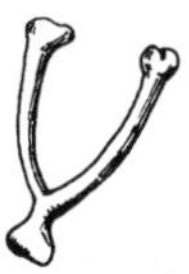

Ossos naturais: Devem estar esterilizados para que não haja perigo de contaminações. Podem gastar excessivamente os dentes do cão e até quebrá-los, além do risco de perfurar o esôfago, estômago e intestino.

Bichos de pelúcia: Podem ser despedaçados e engolidos, causando problemas à saúde do animal.

Bolas de gude: Podem quebrar os dentes do cão, ser ingeridas ou, se quebradas, podem machucar a boca do animal.

Bolas ou brinquedos de borracha que se despedaçam: Podem ser engolidos pelo cão, causando obstruções no aparelho digestivo.

Na dúvida, procure supervisionar a interação do cão com o brinquedo, e se achar que ele corre algum risco, substitua-o por outro. Alguns cães necessitam de brinquedos e cuidados especiais, pois tentam engolir tudo que encontram.

PLAQUETAS DE IDENTIFICAÇÃO

Plaquetas de plástico: Não enferrujam. As marcações devem ser em relevo para não se apagarem facilmente.

Plaquetas de metal: Procure metais que não enferrujem, como latão, aço ou alumínio.

A coleira pode ser colocada no cão desde o período em que ele ainda é filhote, mas lembre-se de reajustar o tamanho com frequência, já que os filhotes crescem muito rápido. Caso seu cão fique muito incomodado ou se machuque tentando tirá-la, coloque-a por períodos curtos nas horas de distração ou ao alimentá-lo, aumentando aos poucos o tempo em que seu cão fica com ela.

COLEIRAS

A coleira deve estar sempre no cachorro, independentemente de você o estar treinando ou não. A coleira, além de permitir que você contenha o animal em situações de emergência, segurando-a, também possibilita, se tiver o seu nome e telefone gravados, a identificação do seu cão caso ele fuja ou se perca.

A coleira, assim como qualquer equipamento de contenção, deve ser confiável. Você precisa ter certeza de que ela não arrebentará quando você tentar conter seu cachorro para que ele não atravesse uma avenida, por exemplo.

Além de confiável, ela deverá ser confortável e antialérgica.

A coleira deve estar justa no pescoço do cão para evitar que ele se enrosque em algo e possa se machucar, ou mesmo se enforcar. Para isso, ajuste a coleira de modo que você consiga enfiar o dedo entre ela e o pescoço do seu cão sem esforço, mas não mais que isso. Certifique-se de que ela não sai pela cabeça do cão, mesmo ao forçá-la.

É comum alguns cães desenvolverem alergia à coleira, portanto, caso isso ocorra, procure uma coleira de outro material.

MODELOS E MATERIAIS

Coleiras de couro: São resistentes e duram bastante, mas podem começar a apodrecer ou cheirar mal se ficarem molhadas. Algumas têm borda arredondada para evitar que seu uso contínuo marque o pelo em volta do pescoço do cão.

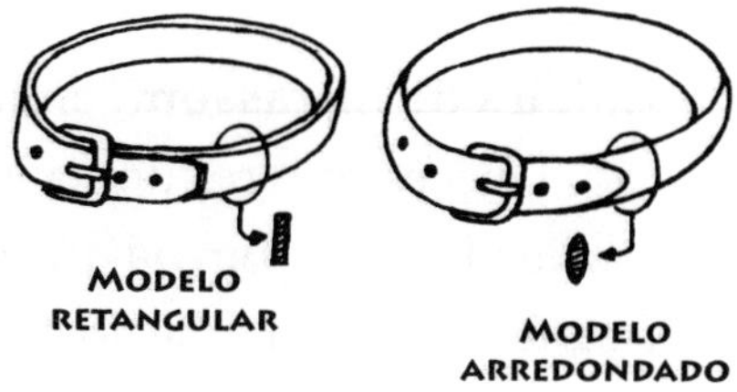

Coleiras de náilon: Costumam desbotar, mas permanecem muito mais limpas e raramente cheiram mal.

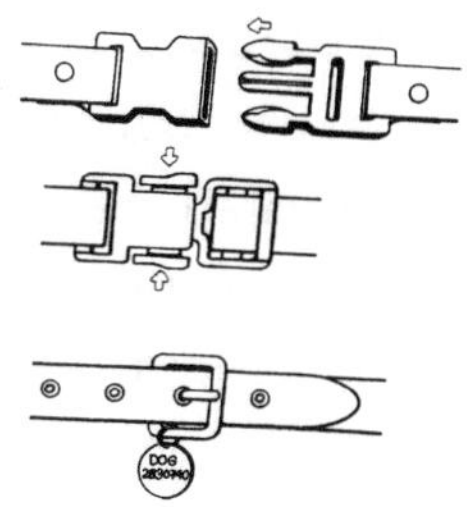

Fivelas: Dê preferência às coleiras com fivelas, já que outros encaixes podem arrebentar mais facilmente.

COLEIRAS DE TREINAMENTO

São coleiras que punem o cachorro, sem machucá-lo. São eficientes se utilizadas corretamente, pois se usadas sem critérios ou conhecimento de psicologia podem causar danos graves aos cães como traumas e comportamentos compulsivos. Podem ser ativadas por controle remoto ou algum mecanismo automático, permitindo acioná-las sem que o cão relacione a punição com a sua presença. Essas coleiras causam muita polêmica, havendo os que são totalmente contra seu uso. Existem tipos diferentes, mas todas têm o mesmo objetivo: assustar o incomodar o cachorro quando se comportar de maneira inadequada.

Coleiras vibratórias: Alguns cães se incomodam com a vibração. Nesses casos pode funcionar como punição.

Coleira contra latido que espirra citronela: Com relação a coleiras que espirram algum produto no cão, verifique com seu veterinário se a substância utilizada não prejudica de alguma forma a saúde do cão. Muitos cães ignoram esses jatos e, portanto, não produzem o efeito desejado.

Coleira de ultrassom: Emite som numa frequência ouvida apenas pelo cão. É necessário ter um cuidado especial em regular corretamente a intensidade desse som, já que não podemos ouvi-lo. Certifique-se de que a frequência e o volume do som programado não irão prejudicar a audição de seu cão, nem machucar seus ouvidos.

Coleira elétrica: Produz um estímulo elétrico, causando desconforto ao cão. São interessantes por permitirem a regulação da intensidade da punição, evitando que o cão ignore o estímulo e ao mesmo tempo não se assuste demais. Atualmente existem equipamentos bem seguros. É importante checar a confiabilidade da marca.

COLEIRAS CONTRA LATIDOS EXCESSIVOS

São específicas para corrigir os latidos de seu cão depois que todos os outros fatores que possam desencadear esse problema tenham sido analisados e adequados. A reeducação do comportamento de latidos é feita por meio de um método que é facilmente entendido pelo cachorro: assim que ocorre o comportamento indesejado, surge um desconforto. Isso porque essas coleiras são equipadas com sensores que detectam as vibrações quando seu cachorro late, ativando a coleira. A escolha do tipo de punição dependerá da sensibilidade do seu cão.

Coleira elétrica contra latido: Deve ser regulada para que cause somente desconforto suficiente para inibir o comportamento.

Coleira contra latido que espirra citronela: Consulte um veterinário sobre a possibilidade da ocorrência de hipersensibilidade à citronela.

Coleira de ultrassom contra latido: Inibe o latido pelo desconforto do som que emite. É necessário verificar se esse tipo de punição é eficiente em cada caso, pois há cães que latem mais intensamente quando acionamos um aparelho de ultrassom.

A vantagem dessas coleiras é que não há envolvimento dos proprietários na correção, portanto, tornam-se um condicionamento muito mais consistente e rápido. Geralmente o uso da coleira corretiva durante algumas horas já é suficiente para mudar o comportamento de latidos.

A desvantagem é que o cão provavelmente relacionará o uso da coleira com a restrição de latidos. E, ao ser retirada a coleira do cachorro, os latidos demasiados podem voltar. Esse problema pode ser facilmente resolvido com a utilização de uma coleira parecida com a coleira corretiva, "enganando" o cão. Atualmente os fabricantes têm diminuído o tamanho desses equipamentos para minimizar esse problema.

Existem coleiras que inibem totalmente os latidos do cão e outras que inibem latidos em demasia, isto é, ela só é ativada se o cão latir além de um determinado tempo.

Importante: A natureza do latido excessivo deve ser muito bem-determinada por um profissional competente, pois no caso de ansiedade de separação, que envolve latidos excessivos quando os proprietários saem de casa, o simples uso desses equipamentos ou de qualquer outra punição despersonalizada para inibir os comportamentos indesejados que acompanham esse problema causará enormes danos psicológicos nos cães! O treinamento para a ansiedade de separação é específico e será explicado em um capítulo próprio mais adiante.

COLEIRAS QUE IMPEDEM QUE SEU CÃO SAIA DE SUA PROPRIEDADE

Cercas invisíveis: Essas coleiras eliminam a necessidade de cercas ou, se estas já existirem, previnem que o cão escape, pulando ou cavando por

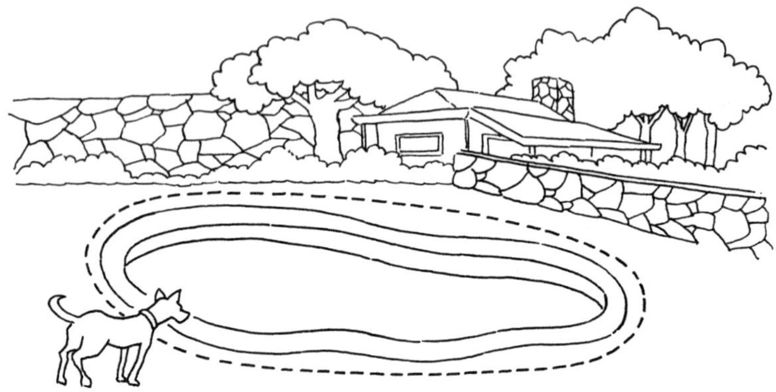

baixo delas. São ativadas quando seu cão chega perto do limite estipulado por você (enterrando um fio no perímetro de sua propriedade ou colocando emissores de ultrassom). Primeiramente elas apitam, depois aplicam um estímulo elétrico seguro ou esguicham um jato de ar ou citronela. Os cães aprendem facilmente a evitar as "zonas" proibidas, evitando o desconforto.

São acessórios eficazes quando usadas corretamente. É necessário seguir exatamente todas as indicações dos manuais e treinar os cachorros para respeitarem a "cerca". É muito útil para chácaras, sítios e fazendas.

Também podem ser utilizadas para impedir que os cães cheguem muito perto de piscinas e outros lugares que possam lhes oferecer riscos.

A desvantagem está no fato de não impedirem que outros animais e pessoas entrem no perímetro da "cerca", e se caso o estímulo que estiver do outro lado for suficiente para atrair o cão, ele poderá passar correndo e ficar com medo de voltar.

Atenção: **Qualquer método de punição não deve machucar o cachorro nem prejudicar sua parte sensorial. Informe-se antes de comprar qualquer equipamento. E fique ciente de que as punições devem ser utilizadas apenas como parte de um treinamento que considera as necessidades físicas e psicológicas do cão, e não como uma solução mágica e definitiva.**

GUIAS

As guias também devem ser confiáveis. Jamais devem abrir ou estourar. Embora segura, procure comprar a mais leve e simples possível. A guia ideal é a que aguenta um bom tranco e que seu cachorro não repara que está preso a ela (quando frouxa), de tão leve e silenciosa. Seu cachorro deve respeitar você, e não a guia. Cães treinados com guias leves e silenciosas respondem bem aos comandos, independentemente de estarem ou não com a guia.

Algumas guias têm uma argola na ponta que permite que elas se "transformem" em um enforcador; isto é, em uma única corda você tem a guia e o enforcador. Estas guias são práticas e funcionais.

Existem vários comprimentos de guia. Para passear, uma guia de 1,5 ou 2 m é a ideal. Outros comprimentos são úteis para auxiliá-lo no treinamento.

Atenção: Se você precisar deixar seu cachorro preso sem supervisão, procure uma guia, de metal, por exemplo, que não possa ser roída.

Guia de corrente: Não é aconselhável para o adestramento, pois, além de pesada, é barulhenta, tornando-se muito óbvia para o cão. São boas para conter o animal sem supervisão, já que a corrente não pode ser roída. Cuidado para o cão não se enroscar...

Guia de tecido pesado e largo: Também não é aconselhável para o adestramento, pois é pesada e, portanto, óbvia para o cão.

Guias com molas: Péssimas para o adestramento, podem machucar o cachorro ou o condutor. Além de óbvias, exigem mais força para controlar o cão.

Guia de cordão resistente: Ideal para o adestramento. Não é óbvia para o cão, o que contribuirá para que ele lhe obedeça com ou sem a guia. Cordões finos e leves podem ser bastante resistentes. Teste-os antes de utilizá-los.

Guias reguláveis: São boas para o adestramento, já que possibilitam regular o comprimento. Devem travar bem e exigir o mínimo de tração possível para aumentar de comprimento, caso contrário, colaborarão para seu cão aprender a puxar você.

ENFORCADORES

Enforcadores são "coleiras" que, sob pressão, enforcam o cão. São úteis, pois fica mais fácil e seguro controlar seu cão, diminuindo a força com que ele será capaz de puxá-lo durante o treinamento ou nos passeios. São acessórios que não devem ser utilizados como símbolo de autoridade, e jamais devemos enforcar o cão como punição.

O enforcador deve ser utilizado apenas quando o cão estiver sendo treinado, passeando ou sob supervisão humana, já que existe a possibilidade de o cão se enforcar acidentalmente. Traumatismos na traqueia e hematomas sublinguais são alguns dos problemas que o uso indevido do enforcador pode causar.

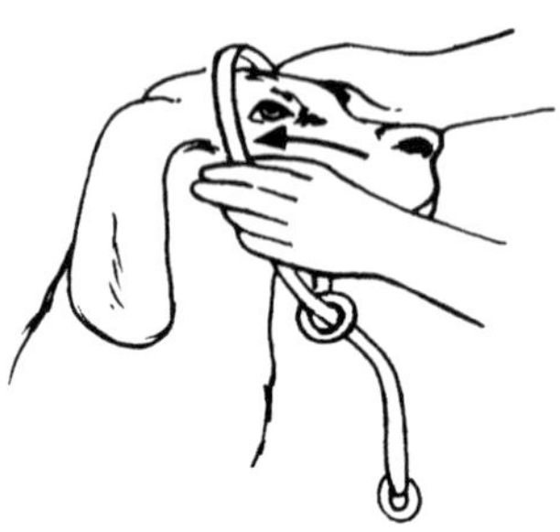

O enforcador deverá passar pela cabeça do cão o mais justo possível. Quanto mais justo ele estiver no pescoço do cachorro, menor será a chance de ele conseguir tirá-lo ou de enroscá-lo em algo.

O enforcador tem o intuito de chamar a atenção do cão através de uma sensação desagradável (de tranco) todas as vezes que ele tentar tracionar a guia. O enforcador, sozinho, não soluciona o problema de cães que puxam a guia durante passeios e devem ser usados para corrigir comportamentos indesejados no passeio.

É importante que o enforcador seja discreto para o cão: quanto menos óbvio ele for para o animal, melhor será o resultado do adestramento. O cão relaciona tudo o que sente e percebe ao aprender e, se for sempre treinado com um equipamento muito óbvio, responderá melhor apenas quando estiver utilizando aquele equipamento. Você não quer que o seu cão o obedeça só quando estiver usando o enforcador, portanto, torne esse acessório o mais discreto e imperceptível possível.

Enforcadores de náilon são melhores que os de metal, porque são mais silenciosos e, por isso, menos perceptíveis para o seu cão.

O enforcador deve afrouxar assim que você aliviar a tensão em que a guia estava sendo mantida; para isso deverá deslizar facilmente, o que facilitará se for colocado da maneira correta.

COLOCANDO O ENFORCADOR

1. O enforcador possui duas argolas do mesmo tamanho em suas extremidades.
2. Passe o cordão por dentro de uma das argolas.
3. Puxe o cordão por dentro da argola.
4. Olhando o cão de frente, forme a letra P com o enforcador e coloque-o no pescoço do cão.

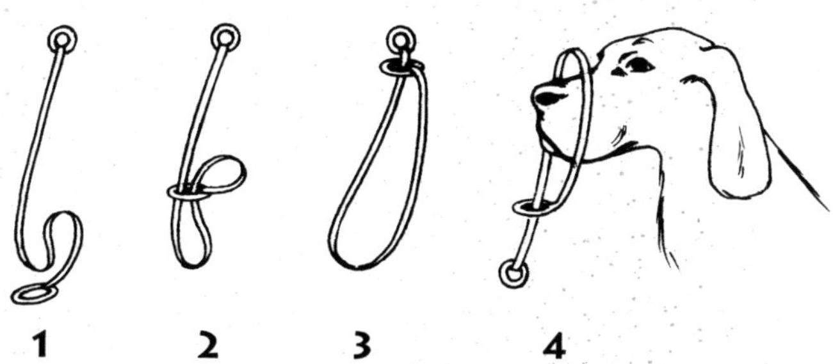

Atenção: Esta maneira de colocar o enforcador é para quem prefere conduzir o cão do lado esquerdo. As pessoas

que, por algum motivo, gostam de andar com o cão ao seu lado direito, devem "fazer" um P invertido com o enforcador antes de passá-lo pela cabeça do cachorro.

ALTERNATIVAS MAIS EFICIENTES QUE O ENFORCADOR

Alguns cachorros engasgam, enforcam-se e não param de puxar a guia, mesmo com o enforcador. Existem equipamentos que o substituem e facilitam ainda mais o controle da força de tração, além de ensiná-los a não puxar a guia, e sem enforcá-los. Estes são os equipamentos mais seguros e confortáveis por evitarem o uso de força física.

Halti: Coleira de cabeça. Toda vez que o cão puxa a guia, a cabeça dele vira automaticamente, o que o faz aprender a parar de puxar. Não é uma focinheira e não machuca o cão. Quando tracionado, também fecha a boca do cão.

Loop: Peitoral modificado para causar desconforto quando o animal traciona a guia. Peitorais normais estimulam o cão a puxar a guia cada vez mais.

"Gentle Leader": Semelhante ao Halti, mas mais simples. Ambos funcionam bem.

Todos esses equipamentos permitem que o cão transpire, beba água e morda, mas, mesmo assim, devem ser utilizados sob supervisão humana.

A desvantagem desses equipamentos é que seu uso deve ser introduzido aos poucos ao cão, pois, como é uma novidade, no começo é natural que ele se sinta incomodado com o equipamento e tente tirá-lo. Acostume seu cão a utilizá-lo antes de prender a guia e ir passear.

CAIXA DE CONTENÇÃO/TRANSPORTE

As caixas de contenção/transporte devem ser consideradas como a toca de seu cão. São também muito utilizadas para transportar animais. Elas geralmente são feitas de plástico ou fibra.

Esse utensílio tem um valor inestimável para proprietários que querem acostumar o cão dentro de casa ou treiná-lo a urinar e defecar somente em um lugar.

As caixas de contenção lembram uma prisão, por isso muitas pessoas consideram sua utilização uma crueldade. Cães são animais de "toca" e, se a caixa de contenção for utilizada corretamente, será a toca de seu cachorro, um lugar seguro em que ele se sentirá protegido, tornando-se até mesmo o seu lugar preferido. Devemos associar sempre a caixa de contenção a coisas boas; alguns petiscos e brinquedos e até uma peça de roupa com o cheiro do dono podem ser colocados dentro dela para que o cão os encontre, e no início a porta deve estar sempre aberta. Quando o cão já estiver acostumado a ficar na caixa podemos começar a prendê-lo.

Conter o cachorro nesse tipo de caixa evita que ele desenvolva problemas novos de comportamento, como, por exemplo, roer o sofá na sua ausência, ou machucar-se comendo algo perigoso ou mastigando a fiação elétrica. Só o fato de ficar preso na caixa de contenção não o ensina como se comportar ou a respeitar os objetos da casa, e tampouco comunica liderança. Por isso ela deve ser utilizada apenas para que o cachorro fique à vontade e seguro sempre que você quiser, sendo empregada como ferramenta para controlar e evitar problemas de comportamento na sua ausência.

Cães são animais carnívoros que dormem grande parte do tempo e não necessitam estar constantemente em atividade, o que não quer dizer que devam ser abandonados dentro da caixa de contenção. Para cães já educados, não há a necessidade de fechá-la.

Principalmente para os viajantes que gostam de levar seus cães, treinar o uso da caixa de transporte é indispensável, pois se torna seguro e confortável para o cão. Imaginem que pavoroso é para o animal ser confinado numa caixa com a qual não está acostumado, sozinho, e enfiado com a bagagem num avião. Se ele se sentir seguro e acolhido dentro dela, a viagem será muito menos traumatizante.

LOCAL IDEAL

Cães que não podem ficar dentro de casa, em vez de uma caixa de contenção devem ter uma casinha, do lado de fora, à prova de vento e chuva.

A caixa de contenção deve ficar em um lugar arejado e, de preferência, próximo ao movimento da casa ou perto das pessoas, pois cães são animais sociais que gostam de estar perto do seu grupo.

Sempre que for visitar um amigo por alguns dias com seu cão ou viajar com ele, procure levar a caixa para relaxá-lo no ambiente desconhecido, pois, embora quase tudo seja novo, ele terá sua velha casa.

> **Atenção: Nunca coloque a caixa de contenção no sol, pois poderá esquentar demais.**

TAMANHO

Estudos comportamentais mostraram que os cães preferem caixas de contenção justas, sem muito espaço livre, pois assim se sentem mais protegidos.

Ela deve ser grande o suficiente para que seu cão possa deitar, ficar em pé e consiga se virar, mas não tão grande que permita ao cachorro urinar em um canto e dormir no outro.

Caixas de contenção auxiliam bastante no condicionamento dos cães para urinar e defecar no local correto, já que eles não fazem as necessidades dentro da caixa se ela tiver o tamanho adequado, sendo este mais um motivo para se considerar o tamanho antes de comprá-la.

Vista superior

Vista de perfil

Algumas caixas de contenção possuem divisões para que possam ser ajustadas conforme seu cachorro cresça. Se você tiver um filhote, compre uma do tamanho adequado para o cão adulto e faça ou utilize divisões para que fique do tamanho ideal, acompanhando o crescimento do seu cão.

TEMPO

Evite deixar seu cachorro (adulto) preso nela por mais de 8 horas sem supervisão e jamais associe o fato de o cão estar na caixa de contenção com qualquer tipo de punição. Como dissemos anteriormente, ela deverá ser o lugar favorito de seu cão.

Como o cão não urina nem defeca na caixa de contenção, é fundamental que se respeite o tempo máximo de contenção para cada idade. Cães mais jovens necessitam fazer suas necessidades mais vezes ao dia que os adultos.

Para fazer o cálculo de tempo, há uma regra fácil de ser lembrada: soma-se 1 à idade do cão em meses, o resultado é o número de horas que o cão pode ficar contido na caixa de contenção, até 8 horas no máximo. Por exemplo: Se o cão tiver 2 meses, ele poderá ficar na caixa de contenção 2+1= 3 horas, no máximo.

Idade (meses)	Tempo máximo na caixa de contenção (horas)
1	2
2	3
3	4
4	5
5	6
6	7
7	8
8 ou mais	8

Atenção: Cães com verminoses ou outras doenças não devem ser contidos em espaço reduzido, já que podem não conseguir controlar suas necessidades de defecar e urinar.

MODELOS DE CAIXAS DE CONTENÇÃO/TRANSPORTE

Fibra: Costumam ser mais resistentes e mais pesadas que as de plástico. Não podem ser tóxicas, nem devem ter cheiro forte.

Plástico: São leves e funcionais.

Desmontáveis: Desmontam como barracas. São muito práticas para pessoas que viajam bastante ou que participam de exposições ou campeonatos de obediência. Só servem para cães que estão acostumados (e não tentam destruir) a caixa de contenção, pois não são muito resistentes.

UTENSÍLIOS QUE AJUDAM NA "PUNIÇÃO"

A punição, como dissemos anteriormente, tem a finalidade de reprimir o comportamento, e não de machucar o cachorro. As ferramentas ideais variam de acordo com a situação e o cachorro. Apresentaremos aqui alguns equipamentos que ajudam a "punir" seu cão.

Há certos utensílios que podemos usar para assustar o cachorro quando queremos adverti-lo para que não faça determinada coisa, mas devemos ter sempre muito cuidado para não acertá-lo. É interessante que esses objetos possam ser jogados na direção do cachorro, no caso da necessidade de despersonalizar a bronca (consulte as Técnicas de Adestramento). Cuidado com cães medrosos!

VOCÊ PODE USAR

- molho de chaves pesadas;
- uma lata tampada cheia de parafusos e moedas;
- uma garrafa de plástico vazia, tipo Coca-Cola de 2,5L;

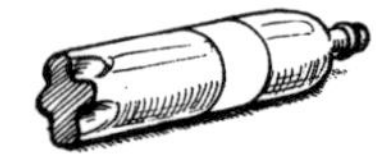

- spray com água;
- substância amarga;
- spray com substância amarga;
- jato de ar (CO_2).

Se estes utensílios forem utilizados de forma correta, além de eficazes, podem funcionar como repelente para seu cachorro. Por exemplo, ao colocar a lata em cima de uma cadeira, você evitará que ele suba nela, pois seu cão associará uma sensação ruim àquele objeto.

Existem produtos especiais para evitar que seu cachorro roa algo. Amargos e inofensivos, eles causam uma repulsa pelo objeto proibido. São muito úteis e podem ser utilizados em conjunto com os objetos para "punir" o cão. Além de sentir um gosto horrível ao roer algo, ele também levará um susto com as chaves, dando mais poder para ambas as ferramentas. Se o produto tiver um odor (por mais fraco que seja), poderá ser aproveitado e colocado na lata e nas chaves, assim o seu cachorro relacionará o odor com uma atitude errada, e você terá mais uma ferramenta para impedir comportamentos indesejáveis.

Importante: leia o capítulo das Técnicas de Adestramento antes de começar a utilizar esses utensílios, pois você, sem querer, pode dessensibilizar seu cão e o objeto deixará de funcionar como meio de punição, ou ainda, poderá assustar demasiadamente um cão mais sensível.

REMOVEDORES DE ODOR

Os removedores enzimáticos de odor retiram o estímulo de cheiro que atrai o cão para fazer as necessidades no mesmo local. Dessa forma, é interessante neutralizar o odor o mais rápido possível para evitar que o seu cão adquira o hábito de urinar em locais inconvenientes. É necessário deixar a substância agir, mantendo o local úmido durante o tempo determinado pelo fabricante.

Produtos de limpeza comuns como álcool perfumado, desengordurantes, água sanitária, cloro, creolina, lisoforme e outros desinfetantes,

além de poderem ser tóxicos para seus animais, não são eficientes por não removerem totalmente o odor. O faro dos cães é muito superior ao nosso e podem detectar o cheiro da urina facilmente, mesmo que seja imperceptível para nós.

Atenção: Quando é feita a limpeza com o uso de produtos domésticos comuns, seu cão pode relacionar o cheiro deles com o da urina, e todo lugar que você limpar com esses produtos pode atrair o cão a urinar.

APLICAÇÃO PRÁTICA

1. Utilize brinquedos para divertir e reduzir o estresse. Isso é muito importante.
2. Não se esqueça de que os brinquedos não podem ser muito duros, não devem despedaçar (quebrar) e precisam ter um tamanho considerável para que o cão não os engula se não forem digeríveis.
3. Alguns brinquedos podem ser oferecidos ao animal na sua ausência, mas outros só devem ser usados com sua supervisão, principalmente se há mais de um cão na mesma casa.
4. Compre uma coleira resistente, antialérgica e confortável. Seu cão deve usá-la o tempo todo.
5. Empregue o enforcador como acessório auxiliar para controlar a força de tração do cão. É um utensílio que só deve ser utilizado sob supervisão humana direta e jamais deve ser usado como símbolo de autoridade.
6. Ajuste o enforcador para entrar justo na cabeça do cão e certifique-se de que ele seja silencioso e leve.
7. Empregue guias resistentes, leves e silenciosas.
8. Escolha uma caixa de contenção justa para o padrão de seu cachorro, permitindo somente que o animal deite, fique em pé e consiga se virar.

9. Ofereça como recompensa apenas petiscos ou objetos que seu cão adore. Os petiscos precisam ser dados em pequena quantidade e não devem desbalancear a dieta. Os brinquedos devem ser grandes para que possam ser removidos facilmente da boca do cachorro.
10. Lembre-se de que a punição não pode machucar nem prejudicar os sentidos do cão, e que não pode ser usada fora de contexto.
11. Use produtos amargos para evitar que o cão roa determinados objetos.
12. *Clickers* são objetos que produzem um som para indicar ao cão o comportamento exato que gerou a recompensa. São mais rápidos e precisos que elogios falados.
13. Remova os odores de urina e fezes dos lugares indesejáveis. Utilize removedores de odor, e não qualquer produto de limpeza.

Quarta Parte

ADESTRAMENTO INTELIGENTE

"Comportamento é uma grande sopa
de respostas internas e externas,
aprendidas e desaprendidas."

Karen Pryor

Para que o adestramento seja eficiente é necessário mais que apenas a técnica para ensinar alguns "truques" para o seu cão. Por isso o adestramento inteligente obedece à seguinte divisão:

- Técnicas: conceitos fundamentais para se adestrar o cão;
- Linguagem: a maneira de nos comunicarmos com os cães;
- Técnica do *click*: uma maneira rápida e eficiente de o cão entender que fez a coisa certa;
- Comandos: para o cão entender prontamente o que se espera que ele faça.

TÉCNICAS DO ADESTRAMENTO INTELIGENTE

NESTE CAPÍTULO VOCÊ VAI APRENDER:

- paciência é fundamental para o sucesso do adestramento;
- punições tardias não fazem sentido para o cão;
- para inibir um comportamento, devemos induzi-lo várias vezes;
- o que fazer para que seu cão também se comporte na sua ausência;
- as técnicas corretas para recompensar ou punir comportamentos.

A TÉCNICA DE ADESTRAMENTO E AS LEIS FUNDAMENTAIS

Agora que você já sabe as leis fundamentais do adestramento, podemos entrar nos detalhes das técnicas. O importante é sempre procurar utilizar as leis fundamentais, pois sua aplicação fará com que seu cão aprenda cada vez mais rápido e se torne cada vez mais eficiente.

Os conceitos aqui explicados são muito simples e fáceis de serem entendidos, mas é necessário um esforço especial para colocá-los em prática, já que qualquer mudança na nossa maneira de lidar com as coisas em geral exige muita atenção e dedicação.

TENHA PACIÊNCIA

Ser paciente é fundamental para o sucesso do treinamento. Se você não tiver paciência e ficar frustrado com seu cão, o treinamento vai progredir muito lentamente.

Não adestre nos dias em que você não se sentir emocionalmente equilibrado, isto é, naqueles dias em que se sentir tenso, inseguro ou estressado.

Previna-se para evitar que ocorram incidentes que possam aborrecê-lo. Assim, ao levar seu cachorro ao parque, não o solte para ver se ele volta, pois, se ele não voltar, você ficará aborrecido e atrapalhará o treinamento. É preferível ficar com o cachorro preso à guia durante as primeiras aulas.

Lembre-se: qualquer fato negativo que seu cão associar ao treinamento ou ao comando dificultará o aprendizado, portanto, tenha paciência e siga devagar.

Se seu cão já estiver sentando, parabéns! Quando não tiver mais dúvidas sobre o aprendizado, aí, sim, comece a corrigir a postura do animal e a estimulá-lo a sentar mais rapidamente. Agir pacientemente não significa que você esteja perdendo tempo, pelo contrário, quanto mais corretamente utilizar essas técnicas, menos tempo você levará para ter um cão muito bem adestrado.

INTELIGENTES, MAS NÃO ADIVINHOS

Embora os cães sejam muito inteligentes e possam aprender de inúmeras formas, quanto mais simples e claro formos ao educá-los, mais certeza teremos de que o cachorro fará as associações corretas.

Por isso, para começar, devemos abandonar punições tardias — para o cachorro, 1 minuto depois de ter feito alguma "arte", já se formou uma distância muito grande para que ele possa associar qualquer punição ao seu comportamento faltoso; ou seja, se você não conseguiu puni-lo no exato momento do ato errado, esqueça! Isso mesmo, não dê nem mesmo uma bronquinha.

Nossos cães encontram-se grande parte do tempo em atividade, e só para nós é evidente a "barbaridade" que ele fez algum tempo atrás, como, por exemplo, ter destruído o sofá da sala. Será quase impossível que ele associe a punição à atitude que você considerou errada se o ocorrido já se passou há uns 10 minutos! O cão já foi para cozinha, bebeu água, cheirou o banheiro, latiu para o carteiro etc., e não vai relacionar a bronca ao problema que você tinha em mente. Ah, o seu cachorro sabe muito bem que fez algo errado, pois ele fica com cara de envergonhado ou vai se esconder? Errado, ele não sabe. Você acha que ele está agindo assim por se sentir culpado, mas a chance de ele saber o que fez de errado é quase a mesma que você tem de ganhar na loteria! Ele sabe, sim — se você já o treinou o suficiente —, que quando você arregala o olho para alguma coisa e depois olha diretamente para ele, uma bronca está por vir, ou, ainda, que algo bagunçado no chão somado à sua presença significa problema.

Além de não servir para o propósito que se pretende, as punições tardias diminuem a confiança do cachorro nos donos e aumentam a ansiedade do animal. (Antes de punir seu cão por bagunça, leia a parte que diz como evitar que isso aconteça.)

É importantíssimo recompensá-lo ou puni-lo no ato, de preferência quando começou a fazer ou enquanto estiver fazendo alguma coisa. O exato momento da punição ou da recompensa é crucial e, mesmo que você aja dessa forma, é necessário que o ato praticado e a correspondente punição ou a recompensa merecida se repitam algumas vezes para que seu cão faça as associações corretas.

ASSOCIAÇÕES CORRETAS DEPENDEM DE REPETIÇÃO

Como dissemos, é necessário que a relação ato-punição ou recompensa se repita; portanto, induza o cachorro a fazer algo para poder puni-lo ou recompensá-lo. Se quiser, por exemplo, que seu cão aprenda a não pular em você ao lhe dar as boas-vindas (isto é, todas as vezes em que ele o enxergar), é interessante primeiramente não provocar o pulo, abaixando-se para acariciá-lo. Depois de tê-lo recompensado várias vezes por ter se mantido com as quatro patas no chão, aumente o estímulo até que ele pule em você para que possa puni-lo, assim ele compreenderá que pular em você é que é ruim em qualquer situação, e não o fato de vir recebê-lo! Em outras palavras, para poder ensiná-lo, você deve fazer a maior festa para ele, o que fará com que ele pule em você novamente e, assim que ele pular, puna-o (a melhor punição para este caso está descrita no controle de comportamentos desagradáveis). Se a recompensa e a punição forem bem-escolhidas, provavelmente seu cão terá facilidade em entender o que é certo e o que é errado mesmo em situações muito estimulantes. Não esqueça de recompensá-lo quando ele resistir o estímulo para fazer a coisa errada.

Parece sem sentido e desleal induzir o cachorro a pular e depois puni-lo? Não, não é. Seria uma deslealdade se lhe ensinasse uma palavra de comando para pular em você e, assim que ele subisse, você o punisse. Ou às vezes recompensá-lo pelos pulos e outras vezes, quando você está trocado e limpinho para sair de casa, puni-lo por ter feito exatamente o que você ensinou. É fundamental que seu cão saiba que não importa o grau de animação em que você esteja, pular em você é errado, e pronto! A mesma coisa deve ser feita para cães que sobem em sofá, roubam comida, roem sapatos etc. É importante, sempre quando possível, primeiro mostrar ao cão qual é o comportamento correto, simulando uma situação que seja fácil para ele acertar.

PUNIÇÕES

Quando você pune seu cão verbalmente ou batendo um jornal no chão, por ter feito algo que você não queira, ele pode aprender que não deve se comportar assim quando você estiver por perto, principalmente se nada acontecer quando ele se comportar da mesma fora e você estiver ausente.

Para evitar que isso ocorra, devemos impedir que o cão aprenda a se comportar de maneiras distintas na nossa presença e na nossa ausência. Uma maneira de se fazer isso é impedindo que o comportamento errado ocorra quando não estamos supervisionando-o. Por exemplo, se o cão mastiga um determinado vaso, restrinja o acesso do cão ao vaso ou guarde-o em um local inacessível enquanto não puder supervisioná-lo.

Esse cuidado é necessário pela natureza desse tipo de punição, que é chamada de punição personalizada. Ela leva esse nome, porque o cão pode associar facilmente a punição à nossa presença.

Já no caso de punições que o cão não associa com a presença humana, tais cuidados não são necessários.

O cachorro não terá motivos para se comportar de forma diferente quando estivermos presentes ou não se um gosto amargo persistir em um objeto desejado independentemente de nossa presença.

COMO DESPERSONALIZAR A PUNIÇÃO

Para despersonalizar a punição é necessário que você a incorpore no ambiente ou que o cão não a associe a sua presença (imagem, cheiro ou ruído). Agarrar o cão e sacudi-lo, dar um tranco no enforcador, bater o jornal no chão e gritar são punições que estão claramente associadas à sua presença.

Despersonalizar punições requer um pouco de planejamento, já que estamos "enganando" o cão. Pegar um "instrumento de punição", como um chaveiro pesado, e atirá-lo na direção do cachorro que está fazendo xixi fora do lugar, roendo a mobília etc. sem que ele perceba que foi você quem atirou é uma maneira bem simples de não personalizar a punição. Para isso, é necessário que você pegue o chaveiro sem fazer barulho, lance-o sem que o cão perceba e continue fazendo o que você estava fazendo antes, sem olhar para ele. Dessa maneira o cão achará que foi punido por "Deus" e evitará repetir o ato, estando você presente ou não. Quando se trata de cães medrosos, é interessante usar sempre punições que causem desconforto, e não susto.

Outra maneira de despersonalizar as punições é empregando armadilhas que punam o cão (sem machucá-lo). Um dos meus clientes conseguiu resolver o problema adotando uma prática arriscada: como seu cachorro latia e corria em volta da gaiola de periquitos o dia todo, ele colocou ratoeiras armadas de ponta-cabeça em volta da gaiola. Bastaram alguns sustos (da ratoeira desarmando) para o cachorro perder totalmente o interesse pelos passarinhos. (Não acon-

selho esse procedimento, porque existe uma grande possibilidade de seu cão sair machucado.)

ALGUNS EXEMPLOS DE PUNIÇÕES DESPERSONALIZADAS

- Objetos que causam desconforto quando o animal pisa ou urina sobre elas: fitas adesivas, fitas dupla face, filme de pvc, papel alumínio;
- *Sprays* repelentes para ambientes ou com gosto amargo para objetos;
- Objetos barulhentos arremessados de um local onde o cão não o veja, como uma janela (muito cuidado para não atingir o cão);
- Aspirador de pó ligado a distância, com uma porta fechada entre o aspirador e o local onde ele será ligado (perfeito para gatos, mas normalmente fraco demais para cães).

NÃO DESSENSIBILIZE AS PUNIÇÕES

Devemos ter cuidado para não dessensibilizar as punições, ou seja, para não diminuir o seu efeito. Quando um cão faz alguma coisa errada, o dono primeiramente diz com todo o carinho: "Fido, para, vai, o papai não gosta..."; depois diz: "Fido, para com isso"; lá pela vigésima vez estará berrando: "PARA, seu filho da ...!". Antes que você degole seu cachorro, aprenda este conceito: a punição deve ser eficiente desde a primeira vez. Se a punição for aumentando gradativamente, ela provavelmente perderá seu efeito, pois o cachorro aprenderá que não precisa temer voz alta ou algum objeto como uma lata com moedas, por exemplo. Alguns cães aprendem, inclusive, a tolerar *spray* com gosto amargo, por terem se acostumado ao gosto bem aos poucos.

Nenhuma punição deve deixar o cão com medo de você. Se isso estiver acontecendo, mude de estratégia e puna com mais cautela, pois essa reação indica que seu cão está deixando de confiar em você. Ele deve ter receio de fazer as coisas proibidas, e não de você.

SAIBA ALTERNAR RECOMPENSA E PUNIÇÃO

Vamos falar mais um pouco sobre o uso de punições. Já sabemos como não dessensibilizá-las, como personalizá-las e despersonalizá-las, e que elas devem ser aplicadas durante o ato errado, e nunca minutos ou horas após. Outro fator importante é que a punição deve cessar imediatamente assim que o ato pare. Muitas vezes a punição deve ser alternada rapidamente com recompensas, por isso nunca ensine seu cão quando você estiver triste, zangado ou estressado, pois estas trocas rápidas ficam muito difíceis quando a pessoa não está bem-equilibrada emocionalmente.

Devemos ter cuidado ao alternar a punição com a recompensa para que o cão realmente entenda o que está acontecendo. Por exemplo, para ensinar um cão a não brincar de morder sua mão, provoque-o, brincando com ele, e coloque a sua mão numa posição que ele possa morder, mas, assim que ele o fizer ou estiver quase fazendo, puna-o (jogue, por exemplo, um produto amargo não tóxico na sua mão, ao lado de onde ele estiver mordendo). Provoque-o novamente, oferecendo a mão. Se ele mordê-lo outra vez, puna-o; caso ele não faça isso, recompense-o (carinho, palavras carinhosas etc.), e assim por diante, até o cão se recusar a mordê-lo todas as vezes que você apresentar a mão.

Procure sempre dar alternativas para seu cão fazer a coisa certa e recompense-o sempre que fizer. Exemplo: ele não deve morder a mão, mas pode morder seus brinquedos.

Se o cão não for claramente induzido a fazer a coisa errada antes de ser recompensado por recusar, poderá pensar que, para ser elogiado, é necessário que seja punido antes, continuando assim a fazer a coisa errada para, após a punição, receber a recompensa. Por exemplo, você chega em casa e seu cão pula em você, e imediatamente você o pune, ignorando-o ou segurando suas patas. Tão logo o cão desça, você o elogia. O cão vai entender que, para ser elogiado, deve pular em você, "sofrer" um pouco e logo será recompensado.

Para que você consiga deixar claro para o seu cão o que você está querendo que ele faça, induza-o a fazer a coisa errada (caso ele já não a faça naturalmente). Se ele se recusar a fazê-la mesmo induzido, recompense-o, caso contrário, puna-o. Repita tudo novamente, não o recompense simplesmente após ser punido.

Outro exemplo: quando o cãozinho estiver roendo um pé de cadeira, jogue disfarçadamente algo que o assuste e não o elogie quando ele parar! Caso você o faça, o cãozinho vai aprender a roer para conseguir sua atenção, mesmo sabendo que terá que levar um pequeno susto antes de receber essa atenção.

Para repetir a experiência a fim de ensiná-lo, uma forma de induzir seu cãozinho a roer o pé da cadeira é colocar os brinquedos dele ao lado. Caso ele opte pelos brinquedos, recompense-o, mas se roer o pé da cadeira, puna-o.

A punição serve para que o cão se recuse a fazer algo. Quando tiver conseguido isso, elogie-o por ter recusado, já que o elogio tem efeito muito mais duradouro e eficaz do que a punição.

> **Cuidado:** Se a punição for severa demais, não ocorrerá o número suficiente de repetições para que o cão entenda qual o comportamento que a desencadeia. Também evite assustar cães inseguros ou medrosos demais.

FRACASSO COMO PUNIÇÃO E SUCESSO COMO RECOMPENSA

Uma das melhores punições é o fracasso. O fracasso é basicamente seu cão não conseguir obter ou fazer algo que pretendia. John Fisher, estudando métodos de punição, descobriu que quando se atira um chaveiro próximo ao cachorro — o que aparentemente o puniria, causando-lhe medo —, na realidade o que se está ensinando ao cachorro é que aquele barulho significa que ele não irá receber a recompensa.

É exatamente esse efeito que pretendemos quando utilizamos a palavra "Não" ou "Rei" (eu prefiro "Rei", pois é mais rápida e forte que

"Não"). Devem ser pronunciadas de maneira a não deixar dúvidas de que se trata de uma punição! Essas palavras, bem ensinadas, podem auxiliar no adestramento por avisá-lo de que, agindo assim, ele não será recompensado.

Da mesma maneira que o fracasso é uma das melhores punições, o sucesso é uma das melhores recompensas. Seu cachorro é punido e recompensado o tempo todo, é assim que ele sobrevive! Come na hora que está com fome e é recompensado pelo prazer de comer, e assim por diante. Quando um filhote rói a sua mesa de estimação, está sendo recompensado pela diversão de roer ou pelo alívio da dor que sente na gengiva. Portanto, para mudar um comportamento, precisamos primeiro procurar as recompensas correspondentes a ele e, se possível, devemos eliminá-las ou substituí-las. Só assim poderemos obter sucesso na educação de nosso cão.

Se dermos água gelada para nosso filhote ou um brinquedo congelado, isso aliviará muito mais a sua dor na gengiva do que sua mesa preferida; e se, além disso, você passar algum produto amargo (específico para essa finalidade) na sua mesa, irá puni-lo logo que ele for mastigá-la. Fazendo isso você reverte o comportamento indesejável para um desejável, que é brincar com os brinquedos e tomar água. Perfeito, não é? Além de simples, você despersonalizou a punição e a recompensa, evitando que seu cão volte e roer a mesa na sua ausência.

Tudo que estiver diretamente relacionado com o fracasso para seu cão poderá ser utilizado como punição. Podemos facilmente criar uma aversão a um objeto ou a algo se os associarmos com o fracasso. Da mesma maneira que o *click* funciona como recompensa secundária, este objeto pode funcionar como punição secundária e, se for sempre associado com fracasso, ganhará cada vez mais poder. Vamos supor que você escolheu o *spray* de água como objeto de punição, mas seu cão não dá a mínima importância a ele. Basta você colocar, por exemplo, um pedaço de guloseima no chão e, assim que seu cão for pegá-lo, você espirra água nele, diz "não" e o impede de pegar a recompensa. Repetindo isso algumas vezes, logo seu cão associará o *spray* ao "não" e ao fracasso. Daí em diante, quando seu cão fizer algo errado e estiver ao alcance do *spray*, este poderá ser utilizado como punição.

BRONCA PODE SER RECOMPENSA

Agora vamos ver o problema da atenção. Como dissemos, o sucesso é um ótimo reforço, e o seu cão é um animal social que necessita de atenção — realmente necessita. Se o seu cão estiver buscando atenção e conseguir, Bingo — sucesso! Até aí, nada de novo, mas você já reparou que quando damos uma bronca estamos dando atenção também? Você já imaginou que seu cachorro pode estar virando um pseudomasoquista para conseguir sua atenção? Pior, se você é daquelas pessoas que logo após punir seu cachorro sente-se um miserável, vai pedir desculpas e ajoelha-se em frente dele, além de confundir a cabeça do animal, estará fazendo com que ele aprenda que ao ignorar você ou fingir que está chateado conseguirá sua atenção.

É muito difícil identificar o problema quando o seu cachorro está fazendo algo só para chamar a atenção; alguns casos são óbvios, outros até especialistas encontram dificuldades para detectar. Por isso a nossa atenção deve ser o menos perceptível possível no momento da punição! O simples fato de olhar para o cachorro, ou segui-lo, ou ainda limpar ou arrumar alguma bagunça que ele tenha feito já é considerado por eles como atenção. Cuidado! Como se comportar, então? Por exemplo, nunca arrume a bagunça que seu cachorro fez na frente dele.

IGNORAR É UMA ÓTIMA ESTRATÉGIA

Alguns problemas podem ser resolvidos somente pela capacidade de ignorar — sim, é uma capacidade, pois seu cão pode aprender a fazer caras e gestos quase impossíveis de ignorar! Ao utilizar essa ferramenta, você estará privando o seu cão de uma das coisas que são vitais para ele: a atenção. Mas só se utilize desse método se tiver firmeza o suficiente para aguentar o comportamento indesejado por algum tempo. Por exemplo, se um cão late ao pé da mesa pedindo comida (claramente você o condicionou a isso) e você decide ignorá-lo como meio de punição, ele, antes de desistir, pode tentar ainda com mais energia, latindo, pulando, arranhando etc. Se você desistir nesse momento, ele será recompensado por ser insistente e por latir mais alto e pular! É por isso que em grande parte das vezes a estratégia de ignorar deve estar aliada a alguma outra punição, pois muitos comportamentos tornam-se insuportáveis antes de cessarem.

APLICAÇÃO PRÁTICA

1. Não atropele os ensinamentos. A paciência aliada ao treinamento gradual assegura um adestramento mais bem-sucedido.
2. Somente aplique punições no momento em que ele praticou o ato; punições tardias não fazem sentido para seu cão.
3. Induza seu cão a repetir os comportamentos indesejados algumas vezes para que, através da punição imediata, o comportamento possa ser controlado ou eliminado.
4. Também induza-o a se comportar da maneira correta e recompense-o.
5. Para que ele não faça o que não deve quando você estiver ausente, não deixe que ele ligue a punição à sua pessoa, isto é, despersonalize a punição ou impeça o comportamento de ocorrer, evitando assim que um mau hábito se forme.
6. Não aumente a punição gradativamente, pois isso fará que ela perca a eficácia. Puna corretamente desde a primeira vez.

7. Sempre associe a punição com o fracasso, ou seja, impeça que a vontade de seu cão seja realizada. Por exemplo, se seu cão quer comer uma torrada que está em cima da mesa, a bronca, ou o susto, deverá impedir que ele coma a torrada.
8. A melhor recompensa é o sucesso, e a punição mais efetiva é o fracasso. Repetidas broncas mal dadas podem, muitas vezes, ser consideradas como recompensa pelo seu cão, já que ele pode estar buscando a interação com você.

LINGUAGEM PARA SE COMUNICAR COM O CÃO

Cães não falam nossa língua, portanto, devemos simplificá-la ao máximo.

NESTE CAPÍTULO VOCÊ VAI APRENDER:

- como se comunicar de forma eficiente com seu cão;
- a escolher as palavras de comando e como pronunciá-las;
- a importância da linguagem corporal;
- que um cão bem-treinado pode aprender a obedecer só aos seus donos.

LINGUAGEM

O objetivo da linguagem é melhorar a comunicação. Quanto melhor a comunicação, melhor será o entendimento e mais eficiente se tornará o adestramento.

Para comunicar-se de forma eficiente com o seu cão, procure utilizar: o comando oral, variando a entonação; a postura corporal e expressão facial correspondentes ao comando e o gesto característico do comando que você estiver dando.

Ao utilizar esses três itens, simultaneamente, a comunicação será mais completa. Muitas vezes, apenas um dos itens já será suficiente para que seu cão o entenda; mas, em algumas situações, seu cão somente conseguirá observar um deles. Se você estiver em um ambiente muito barulhento, sua voz talvez não seja forte o suficiente para se sobressair. Outro caso é quando nossas mãos estão ocupadas e nos resta apenas a voz para comandar o cão. Portanto, procure adestrar seu cachorro utilizando os três itens sempre que possível, para que ele os relacione.

Devemos escolher cuidadosamente o vocabulário que ensinaremos ao nosso cão. Quanto mais simples, melhor! O ideal seria empregarmos apenas palavras de uma só sílaba mas, como a maioria tem pelo menos duas, o que podemos e devemos fazer é destacar uma sílaba de uma palavra, pronunciando-a com mais força. Por exemplo: ao falar SENTA, daremos ênfase ao SEN; ao falar DEITA, ao DEI, e assim por diante. Ao ensinar seu cão, jamais utilize duas palavras muito parecidas foneticamente, porque isso irá confundi-lo (exemplo: ROda e ROla).

Nenhum comando deve ser parecido foneticamente com o nome do seu cachorro, e jamais deve constar da bronca ou punição uma palavra que lembre o nome dele. Assim, se o cachorro chamar-se Pegasus, o comando PEGA pode ser confundido com o nome dele ou, ainda pior, ao chamá-lo, ele pode sair correndo e atacar alguém! Um

nome péssimo para seu cão seria Pão ou Bom, ou mesmo Cão, pois esses três nomes podem ser confundidos com a palavra NÃO (bronca), transmitindo ansiedade e confusão para seu cachorro.

Como dissemos anteriormente, evite a todo custo mencionar o nome do seu cachorro quando o estiver punindo. Nunca diga: "Tamy, não!". Este conceito é bastante simples, mas demanda muita atenção do proprietário. Treine bastante. Assim, com o tempo, será natural não mencionar o nome do cachorro ao puni-lo.

Mesmo que você tenha mais de um cachorro, basta direcionar a punição ao cachorro "culpado" que ele entenderá, sem que seja necessário mencionar o nome dele. Quem tem mais de um animal deve tomar ainda mais cuidado para não utilizar o nome do cachorro quando for dar uma bronca, pois pode propiciar disputas e brigas entre eles (ler o capítulo sobre brigas).

A seguir sugiro algumas palavras que você deve utilizar:

SENta **DEIta** **VEM** **JUNto**
SObe **BUSca** **LAte** **VIvo** **LIvre**

As sílabas em letras maiúsculas devem ser enfatizadas.

Desde que as palavras sejam escolhidas cuidadosamente, qualquer idioma serve. Cada palavra deve ser suficiente para o cão entender o que você quer, assim como os gestos.

Gestos que possam ser enxergados de longe pelo seu cachorro são ideais, pois são essas as ocasiões em que a voz costuma não ser suficientemente forte. E, por último, as expressões corporais. Elas, diferentemente das palavras, já carregam consigo algumas mensagens que o cão apreendeu instintivamente ou em contato com outros cães ou humanos durante seu desenvolvimento. Se você utilizar um sorriso para algo bom, por exemplo, terá maiores chances de melhorar a comunicação do seu cão com outras pessoas além de você mesmo. Um cachorro deve naturalmente evitar uma pessoa zangada e procurar uma sorridente e contente.

Portanto, sorria diante de algo que você gosta que seu cão faça, como quando ele lhe obedece, por exemplo.

Se for possível, utilize também seu corpo. A posição vertical significa neutralidade, agachar significa chamar para brincar e curvar-se na altura da cintura significa punir.

Existe um consenso popular de que o cachorro só obedece ao treinador e ignora o proprietário, pois não entende os comandos de seu dono. Isso geralmente é bobagem, a menos que o treinador do cão tenha um sotaque tão pronunciado que realmente as palavras soem completamente diferentes. O problema ocorre, geralmente, devido à troca do agente punidor/recompensador (o cão sabe que deve respeitar o treinador para evitar uma punição ou para ganhar uma recompensa). Para que o cão obedeça ao proprietário, é necessário um envolvimento psicológico entre ambos, além da necessidade de que o dono conheça algumas técnicas.

Muitas pessoas imaginam que um ladrão terá domínio completo sobre o cachorro se este for adestrado com palavras comuns. Pensam que o ladrão ordenará ao cachorro que deite, depois, que fique, e, ainda pior, que poderá mandar o cão atacar o próprio dono! Errado! Isso não acontece. O cachorro não é um robô, e obedecerá de acordo com a hierarquia, relação de amizade, respeito e amor.

Se você preferir ensinar os comandos em um outro idioma, procure um com que você esteja familiarizado, pois não seria nada conveniente ter que buscar um dicionário para poder dizer ao seu cachorro SENTA, em alemão, por exemplo.

APLICAÇÃO PRÁTICA

1. Sempre que possível, faça uso simultâneo da palavra, do gesto e da postura que traduzem um comando, para melhorar a comunicação.
2. Evite comandos parecidos com o nome do cão.
3. Reduza os comandos a uma única sílaba e dê uma entonação mais forte a ela.
4. Jamais utilize o nome do cão ao reprimi-lo ou puni-lo. Por exemplo: "Fred, não!", "Fred, sai daí!".
5. Exprima com o tom da sua voz e com expressões faciais quando você estiver aprovando ou condenando o comportamento do seu cão.
6. Procure utilizar comandos fáceis e práticos, que se tornem automáticos para você. Evite ser obrigado a consultar um dicionário para poder se comunicar com seu cão.

TÉCNICA DO *CLICK*

"É difícil de acreditar que um simples clicker *possa controlar animais tão grandes como baleias ou tão pequenos como peixes tropicais, e praticamente todos os animais intermediários."*

Gary Wilkes

NESTE CAPÍTULO VOCÊ VAI APRENDER:

- a maneira inteligente de mostrar ao seu cão o que você deseja que ele faça;
- sobre a ferramenta mais utilizada em adestramento animal;
- como tornar esta ferramenta ainda mais poderosa.

O QUE É O *CLICKER*?

O *click* na essência nada mais é do que um jeito abreviado de dizer "muito bem". Do que se trata? É um som característico produzido por um equipamento ou pela boca e que, se bem utilizado, trará mais clareza e rapidez aos condicionamentos. A técnica do *click* pode ser empregada no adestramento de praticamente qualquer animal.

O *click* é produzido por um *clicker* (apito ultrassônico, estalo de metal, um som característico feito com a boca etc.).

Parece mágica? Não, não tem nada de mágico, é apenas lógico. O *click* é um sinal instantâneo que serve para indicar ao animal o exato comportamento que gerou a chance de receber a recompensa, sendo, por isso, chamado de recompensa secundária.

As recompensas primárias são as que realmente interessam aos animais, como água, comida, atenção, distração etc. As recompensas secundárias são sinais que, associados às recompensas primárias, adquirem qualidades das recompensas primárias. Não entendeu? Lembra-se do experimento de Pavlov, médico e fisiologista, em que ele tocava uma sineta e logo em seguida dava comida a um cachorro? Ao ouvir a sineta, o cachorro sabia que iria receber a ração e começava a salivar! O *click* é exatamente isso: quando o cão ouve tal som, ele sabe que receberá (pelo menos imagina que receberá) uma recompensa, que pode ser carinho do dono, um petisco, uma bola, qualquer coisa que realmente o interesse. O cão começa a adorar o som e irá procurar fazer qualquer coisa para poder ouvi-lo e ter a possibilidade de ser recompensado.

Outro exemplo para deixar esse conceito mais claro ainda: uma recompensa primária seria sair para passear com seu cão, e a secundária seria pegar a coleira dele. Para o cachorro, esse ato significa: "vamos sair para passear", e então ele fica superanimado. Os *clicks* funcionam da mesma forma.

Por que devo usar um *clicker*?

Existem vários bons motivos para você utilizar um *clicker* ao adestrar ou educar seu cão. Vamos enumerar alguns deles:

- é mais preciso do que um elogio falado e mais claro, pois é diferente de outros sons que emitimos;
- é mais rápido;
- funciona bem a distância; é praticamente impossível jogar um petisco na boca do cachorro no exato momento em que o comportamento adequado ocorrer. O *clicker* permite que não haja intervalo entre o comportamento desejado e a recompensa.

Se você não tiver um *clicker* ainda, não se preocupe. Utilize uma palavra, ou um estalo feito com a boca que funcione como *click* e, assim que adquirir um *clicker*, troque a palavra ou o estalo pelo som dele. Não, você não terá que adestrar seu cão novamente, e ainda se surpreenderá com a rapidez com que ele aprenderá que o som do *clicker* quer dizer "muito bem!".

Quando for utilizar uma palavra como *clicker*, escolha uma que seja forte e exata. Eu gosto de utilizar um estalo feito com a boca, já que "muito bem!" é mais longo e não permite ser tão exato. A precisão e a rapidez são fundamentais para indicar exatamente para o cachorro qual foi o comportamento que lhe possibilitou ganhar a recompensa. Se não contar com a ajuda de um *click*, seu cão terá dificuldade de saber se recebeu a recompensa porque sentou ou porque pulou em você, se os dois comportamentos ocorrerem quase ao mesmo tempo.

O *click* também pode comunicar ao animal que o exercício terminou, portanto, sempre que clicar, o cão pode sair de sua posição. Para facilitar o entendimento do significado do *click*, peço que troquem em suas cabeças o *click* pela seguinte frase: "Muito bem, era exatamente isso que eu queria que você fizesse, está liberado e pode vir buscar a sua recompensa".

CONFIRA PODER AO SEU *CLICKER*

Para que seu cão relacione o barulho do *clicker* com a recompensa, procure clicar e recompensá-lo, no início, quase ao mesmo tempo. Apenas tome cuidado para não começar a dar a recompensa antes de clicar. Você saberá que seu cão relacionou o *click* com a recompensa quando, ao clicar, seu cão instantaneamente procurar a recompensa.

No início, você pode clicar e dar a recompensa sem que ele tenha efetuado nenhum comportamento. O que é muito comum ocorrer nesse processo é parecer que o cão estava entendendo e depois passar a ignorá-lo. Isso ocorre porque no início o cão estranha um barulho diferente e olha para nós ou para o *clicker*. Conforme ele vai se acostumando, passa a ignorar o barulho. Nesse momento, não devemos desistir, pois em pouco tempo o cão fará a associação e voltará a nos olhar, dessa vez realmente esperando ganhar o petisco ou a recompensa.

Alguns adestradores mais experientes podem associar o *click* à recompensa ao mesmo tempo que ensinam alguns comandos mais básicos como, por exemplo, SENta e DEIta.

EXEMPLO:

1º Induz o cachorro a sentar, segurando o petisco acima da cabeça dele.
2º O cão senta.
3º Usa o *clicker* quando o cão encostar a traseira no chão e, então, entrega a ele o petisco.

APRENDA A CAPTURAR UM COMPORTAMENTO COM SEU *CLICKER*

Faça um teste para começar a aprender a utilizar o *clicker*, mas não se esqueça de antes relacioná-lo com recompensas. Segure uma guloseima que seu cachorro adore. Após alguns segundos ele ficará impaciente e fará alguma coisa como latir, levantar a pata etc. Escolha um dos comportamentos e clique no exato momento em que ele o estiver fazendo e, em seguida, recompense-o. Depois aguarde novamente o momento exato, clique e recompense-o novamente. Repita o processo várias vezes.

Vamos supor que você esteja clicando toda vez em que ele estiver latindo. Assim que ele entender que precisa latir para ser recompensado, espere um pouco até que ele passe a latir duas vezes para receber a recompensa, e assim por diante. Cuidado para não estimular comportamentos que você não deseje em seu cão, pois ele tenderá a efetuá-los sempre que houver a possibilidade de ele ganhar alguma coisa. No caso do latido, ele poderá experimentar latir sempre que você estiver com alguma coisa na mão...

Todos os condicionamentos podem ser feitos dessa mesma maneira, mas, para cada um deles, existem truques para conseguirmos que o cachorro assuma certas posições ou atitudes sem que precisemos esperar muito para que isso aconteça naturalmente.

Outro exemplo é o de como ensinar o comando "junto":

Caminhe com o seu cão num parque ou na rua com uma guia comprida. Seu cão passará à sua frente, irá para trás, para todos os lados e, em alguns momentos, ficará na posição "junto" (ao seu lado). Clique só quando seu cachorro estiver nessa posição e recompense-o em seguida. Em pouco tempo seu cachorro descobrirá essa posição maravilhosa que faz soar o *clicker*, e você terá capturado o comportamento desejado.

APERFEIÇOE O COMPORTAMENTO COM O *CLICKER*

Após capturar o comportamento, devemos aos poucos aperfeiçoá-lo. Muitas vezes devemos capturar outro comportamento parecido e aperfeiçoá-lo, até chegar ao desejado. O caso do "deita", por exemplo:

Seu cão sentou-se obedecendo ao comando "senta", então você deve capturar cada movimento que seu cachorro fizer para descer (isto é, para deitar-se), sem cair na tentação de puxá-lo para baixo com a guia, o que é uma péssima ideia, pois essa manobra atrasará o adestramento e relacionará desconforto ao comando "deita". Aos poucos, seu cão vai se abaixando cada vez mais e logo estará deitando. Uma vez que tenha aprendido, só clique e recompense-o quando atingir a posição deitada.

Voltando para o já capturado comando "junto", para aperfeiçoá-lo, basta fazer o cachorro manter cada vez por mais tempo a posição até ouvir o *click*.

CONFIRA AINDA MAIS PODER AO SEU *CLICKER*

Depois que um comportamento foi aprendido e aperfeiçoado não é necessário recompensar o cão todas as vezes que ele o realizar. Podemos começar a espaçar as vezes em que utilizamos o *clicker*. Por exemplo, podemos pedir que o cão sente e deite, clicar e recompensar; depois pedir que ele sente, dê a pata e cumprimente, clicar e recompensar; e assim, seguir espaçando cada vez mais. Evite esse espaçamento progressivo caso o cão esteja perdendo o interesse ou diminuindo sua performance. Essa progressão depende do cão, da técnica do treinador, do local e da recompensa que estiver sendo utilizada.

Toda vez que utilizar o *clicker* será preciso também dar a recompensa? Não.

Podemos, eventualmente, clicar e não recompensar o cão com petisco, por exemplo. Nesses casos, procure recompensá-lo verbalmente. Ao clicarmos repetidas vezes sem recompensá-lo, a associação entre o *click* e a recompensa enfraquece.

É importante mencionar que seu cachorro deve acreditar que cada vez que você der um comando, existe a possibilidade de ele ganhar uma recompensa. Uma boa comparação seria com uma máquina caça-níqueis, em que toda vez que você enfia uma moeda, espera ganhar e continua colocando, mesmo sabendo que não ganhará todas as vezes. Podemos aproveitar para não recompensarmos as piores performances, pois dessa forma a execução dos comportamentos vai melhorando.

No início do treino, quando o cão ainda não tem intimidade com o *click*, tome cuidado para não demorar demais para clicar ou recompensar, pois alguns cães perdem interesse rapidamente, principalmente quando não estão tão interessados na recompensa.

Treinadores profissionais entram nas provas de adestramento e trabalham com o cachorro durante toda prova sem dar nenhuma recompensa primária, mas os cães julgam ter a chance de ganhar a recompensa em cada exercício que fazem.

APLICAÇÃO PRÁTICA

1. Escolha um objeto (*clicker*) que produza um som rápido e instantâneo para que possa ser utilizado no adestramento.
2. Dê poder ao seu *clicker*: clique e recompense seguidas vezes, até seu cão relacionar o *click* com a recompensa.
3. Antes de tentar capturar o comportamento do cão com o *clicker*, leia o capítulo sobre comandos e estude qual estratégia específica irá usar para cada comando.
4. Vá modelando e aperfeiçoando o comportamento do seu cão aos poucos; passe a não recompensá-lo nas piores performances, mas com o cuidado de não desanimá-lo.

COMANDOS

Ensine seu cão com carinho e dedicação,
e a resposta retornará da mesma forma...
O que semeamos é o que colhemos.

NESTE CAPÍTULO VOCÊ VAI APRENDER:

- que o comando oral só deve ser utilizado depois de o cão ter aprendido o comportamento;
- como ensinar o comportamento desejado antes de introduzir o comando;
- a seguir passo a passo as diversas etapas do adestramento;
- nas divisões específicas para cada comando, como captar, modelar e fixar os comportamentos desejados ("senta", "junto" etc.);
- a ensinar truques, jogos e brincadeiras para seu cão;
- como planejar ao ensinar qualquer comando.

SENTA

GESTO	COMANDO ORAL
	**SENta** (enfatizar a sílaba SEN).

INFORMAÇÕES GERAIS SOBRE O COMANDO

"Senta" deve ser o primeiro ou um dos primeiros comandos a serem ensinados. Deve-se começar pelos comandos mais simples, pois é mais difícil ensinar um cão que ainda não entendeu a lógica do adestramento. Quanto mais comandos seu cão aprender, mais rápido aprenderá outros.

CAPTURE O COMPORTAMENTO

Para isso é necessário induzir o cão a sentar, procurando não causar nenhum desconforto que possa ser relacionado com o aprendizado.

Uma ótima maneira de fazer o animal sentar é segurar alguma recompensa acima da cabeça dele e esperar que ele se sente. Assim que ele se sentar, use o *clicker* e recompense. Não deixe de dar a recompensa mesmo que ele tenha saído da posição desejada após o *click*, pois ele marca o fim do exercício.

Caso o cão permaneça sentado depois do *click* e da recompensa, desloque-se um pouco até que o cachorro fique de pé novamente, e assim que ele se sentar de novo, use o *clicker* e recompense-o.

Atenção: Nesta fase não diga "senta" ainda. Não queremos que seu cão associe incertezas e ansiedade com a palavra "senta". Se ficarmos falando "senta", independentemente de ele ter sentado, estaremos ensinando-o a ignorar o comando.

Repita o exercício até que seu cão passe a sentar todas as vezes que você erguer alguma recompensa.

RELACIONE O COMPORTAMENTO AO COMANDO ORAL E GESTUAL

Quando seu cão já estiver sentando sistematicamente toda vez que você erguer uma recompensa, você já pode começar a relacionar o comando oral ao ato de sentar. Procure dizer o comando e fazer o gesto somente nas situações em que você estiver certo de que o cachorro sentará e também somente quando ele estiver interessado na recompensa.

MODELE O COMPORTAMENTO

Após o cão ter relacionado o comando "senta" com o ato de sentar, comece a dar o comando antes de erguer a recompensa.

Aos poucos não será necessário erguer a recompensa, somente o comando será suficiente. Após ter atingido esse ponto, comece a deixar a recompensa cada vez menos óbvia — por exemplo, dentro do seu bolso. Peça ao seu cão que sente, clique assim que ele o fizer, retire a recompensa do bolso e dê a ele. Lembre-se de que, assim que você clicar, ele tem o direito de sair da posição para buscar ou pegar a recompensa.

Procure recompensá-lo sempre que tiver uma ótima performance, e não o recompense quando demorar para responder ou sentar muito lentamente.

Cuidado para não espaçar demais e fazer com que o cão perca o interesse.

DIFICULTE E VARIE AS SITUAÇÕES

Comece a variar os locais em que seu cão terá de se sentar para receber a recompensa e espere cada vez um pouco mais para clicar e dar a recompensa. O cachorro, além de sentar prontamente, terá de se manter nessa posição até ouvir o *click*.

PROBLEMAS E SOLUÇÕES

O que fazer se seu cão pular, recuar e não sentar?

Cuidado! Não force a traseira dele contra o chão e tampouco o enforque, pois essas sensações desagradáveis serão relacionadas com o comando.

É necessário ter paciência. Procure manter a recompensa com você e, sempre que seu cão assumir a posição sentada, ofereça imediatamente a recompensa. Ele relacionará mais cedo ou mais tarde a posição sentada com a recompensa, aí se tornará cada vez mais fácil fazê-lo sentar. Outra maneira de induzi-lo a sentar é fazê-lo chegar perto da parede e oferecer a recompensa acima da cabeça dele; não podendo recuar, ele provavelmente sentará.

Procure observar se o motivo de não sentar está ligado a algum desconforto como dor ou piso frio, pois há casos em que os cães aceitam sentar apenas sobre algum pano ou tapete.

O cão não está interessado na recompensa. O que fazer?

Procure outra coisa para oferecer ao seu cachorro ou aumente a atração dele pela recompensa, brincando você mesmo com ela e ignorando-o. Assim que ele mostrar interesse, tente novamente.

Se mesmo assim seu cão não estiver interessado na recompensa, simplesmente troque por algo mais interessante. Mude o petisco ou encontre um brinquedo de que ele goste mais. Lembre-se que o interesse do cão pela recompensa também está ligado ao estímulo externo; o que é usado com sucesso dentro de casa pode não significar nada para o cão numa praça cheia de atrativos. Dar umas corridinhas, brincar com ele e falar suavemente também costuma deixá-los mais animados e interessados na recompensa.

O que se deve fazer quando o cão só se interessa pela recompensa em algumas situações?

Não se preocupe. Peça ao seu cão que se sente somente nas situações em que ele estiver interessado na recompensa e, aos poucos, ele se interessará cada vez mais pelo treino e o obedecerá em qualquer situação.

VEM

GESTO	COMANDO ORAL
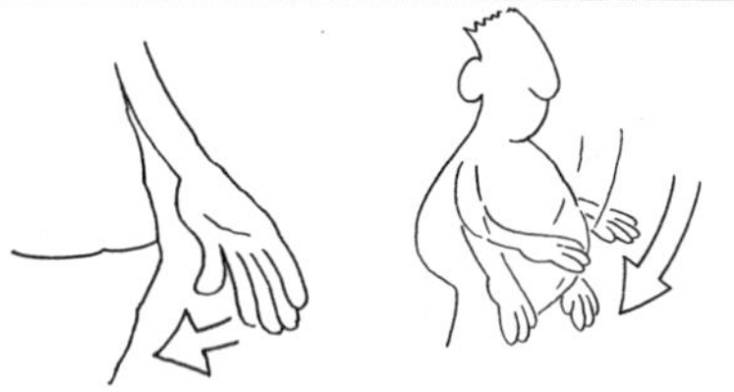	VEM

INFORMAÇÕES GERAIS SOBRE O COMANDO

Geralmente, este é o comando mais útil; por isso, preste atenção.

Sempre que você utilizar este comando, tenha certeza de ter algo do interesse do seu cachorro à mão, caso contrário ele poderá começar a avaliar se vale ou não a pena ir até você toda vez que você o chamar. Se você castigá-lo após chamá-lo, ele associará que ir até você é uma conduta errada.

Como dissemos nos outros capítulos, é importante que o cão não associe nada negativo aos comandos, principalmente o “vem”. Por isso, se você já está acostumado a chamar o seu cachorro com o "vem", por favor, passe a utilizar outro comando para chamá-lo para vir até você, e assegure-se de que, a partir de agora, você terá todo cuidado para não relacionar nada de desagradável com a nova palavra de comando.

Quais as relações negativas que geralmente são associadas ao "vem"?

Muitas, como chamar seu cachorro para tomar remédio, tomar banho (caso ele não goste), recolher-se ao canil, levar bronca e até mesmo para finalizar um passeio no parque.

O difícil deste comando não é ensiná-lo ao cachorro, é não desensiná-lo. Várias vezes você precisa ou quer que o cachorro venha até você, mas só utilize o comando quando tiver uma recompensa boa ou, no mínimo, quando puder fazer bastante festa para ele.

Sempre que precisar fazer algo desagradável com seu cão, use truques para conseguir pegá-lo, mas nunca comandos. Caso contrário o comando perderá completamente a eficiência.

Dica: Para poder usar a palavra "vem" sem preocupação nas situações corriqueiras, adote outra palavra não tão comum para servir de comando para chamar o cachorro até você instantaneamente. Esta diferenciação é importante para que você possa ter uma resposta certa e imediata do seu cão quando você realmente precisar. Quantas vezes já vimos animais correndo em direção a um potencial perigo enquanto os donos se esgoelam, chamando-os inutilmente?

CAPTURE O COMPORTAMENTO

O adestramento do "vem", em si, é muito fácil: basta dizer a palavra e mostrar a recompensa; no momento em que ele chegar até você, dê a ele a recompensa.

Diga "vem" alegremente. Esse comando deve se utilizado juntamente com o nome do cachorro. Por exemplo: "Fred, vem".

RELACIONE O COMPORTAMENTO AO COMANDO

Ao capturar o comportamento, o comando pode já estar associado, uma vez que, desde o princípio, seu cão correrá para você assim que enxergar a recompensa. O mesmo vale para o comando gestual, que já pode ser utilizado desde o início.

MODELE O COMPORTAMENTO

Assim que ele aprender que toda vez que você disser o comando ele deverá ir até você para receber a recompensa, comece a combinar o comando "senta", em frente de você, antes de dar-lhe a recompensa. Ou seja, em primeiro lugar você vai chamá-lo e depois vai pedir que se sente antes de dar a recompensa. Como para os demais comandos, depois que seu cão entender perfeitamente este, não deixe a recompensa tão óbvia, para que ele o obedeça independentemente de avistar ou não o prêmio.

DIFICULTE E VARIE AS SITUAÇÕES

Comece a empregar o comando em situações e em lugares diversos. Para isso utilize uma corda comprida, mas leve e sutil, para que seu cão perceba o menos possível que está amarrado a ela. Deixe que ele se distancie um pouco, prepare a recompensa, diga o comando, atraia o cão até você fazendo festa e puxando levemente a corda. Em seguida lhe dê a recompensa.

Se a corda for a ideal — seu cachorro não percebe que está amarrado a ela —, toda vez que você chamá-lo, ele achará que tem de ir na sua direção e pronto.

A corda tem a finalidade de encerrar imediatamente qualquer outra recompensa que ele possa estar tendo ao cheirar uma árvore, se interessar por outro cachorro etc. Treine o "vem" na presença de gatos, pessoas ou qualquer outra coisa pela qual seu cão se sinta atraído, para poder ter certeza de que ele atenderá ao seu comando em qualquer situação.

PROBLEMAS E SOLUÇÕES

O que fazer se o cão ignorar o chamado quando não estiver amarrado a uma corda?

Procure utilizar outra recompensa mais atrativa e repetir o exercício com uma corda menos óbvia para ele.

DEITA

GESTO	COMANDO ORAL
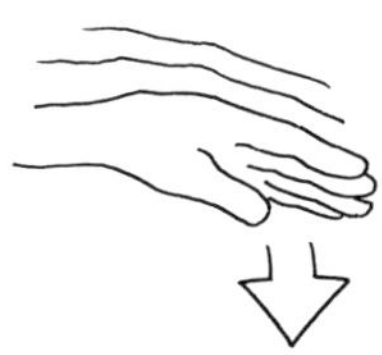	**DEIta** (pronuncie o DEI mais forte).

INFORMAÇÕES GERAIS SOBRE O COMANDO

Como no caso do "senta" e de alguns outros comandos, procure fazê-lo adquirir tal posição sem desconforto. Uma das coisas que devem ser evitadas é puxar o enforcador para baixo para fazer o cão deitar.

CAPTURE O COMPORTAMENTO

Geralmente é mais fácil fazer o cachorro deitar depois de sentar, portanto, ensine primeiro o "senta", e só depois de bem-ensinado introduza o "deita".

Coloque o cão na posição sentada (clique e recompense-o). Toque o focinho dele com a recompensa e abaixe-a devagar, numa posição em que praticamente toque o chão entre as patas dianteiras de seu cachorro. Ele deve seguir a sua mão apenas com o focinho, ficando um pouco "corcunda". Então, clique e recompense-o. Caso ele saia com o corpo da posição sentada para seguir sua mão, pare e recomece da posição sentada (sem recompensá-lo). Repita algumas vezes.

O próximo estágio parte também da posição sentada, só que agora mova sua mão direta e rapidamente para o chão. O cachorro receberá o clique e a recompensa assim que tocar sua mão com o focinho. Vá distanciando a sua mão aos poucos, obrigando o cachorro a deitar. A cada progresso que ele obtiver, clique e recompense-o.

Aos poucos seu cachorro irá deitar cada vez mais rapidamente e com mais confiança; espere então cada vez mais um pouco para clicar e recompensá-lo para que ele fique por mais tempo na posição deitada.

RELACIONE O COMPORTAMENTO AO COMANDO

Agora que seu cão realmente aprendeu a deitar, introduza a palavra "deita" um pouco antes ou no exato momento em que ele começar a deitar e, assim que ele acabar de deitar, clique e recompense-o. Toda vez que falhar, volte e refaça o exercício anterior. Procure ir alternando aos poucos o movimento da sua mão com a recompensa no gesto de deitar, até que o cão deite somente com o gesto e o comando.

MODELE O COMPORTAMENTO

Assim que seu cachorro estiver fazendo bem o exercício, alterne-o com alguns outros comandos, somente fazendo soar o *click* e entregando-lhe a recompensa se ele efetuar o comando correto. Recompense-o ainda mais por performances perfeitas.

DIFICULTE E VARIE AS SITUAÇÕES

Após o cão ter deitado, vá aumentando o tempo entre clicar e recompensá-lo. Peça que ele deite nas mais diversas situações, até na frente de outros cães ou diante de algo de muito interesse para ele. Antes de soltá-lo no parque, ou antes de deixá-lo passar por uma porta, peça-lhe que deite.

PROBLEMAS E SOLUÇÕES

E se o cão que estava sentado resolver levantar a parte traseira para alcançar a recompensa em vez de deitar?

Progrida lentamente. Volte para a posição "senta" e não o recompense, a não ser que faça o movimento correto. Contente-se com um pequeno passo de cada vez.

FICA

GESTO	COMANDO ORAL
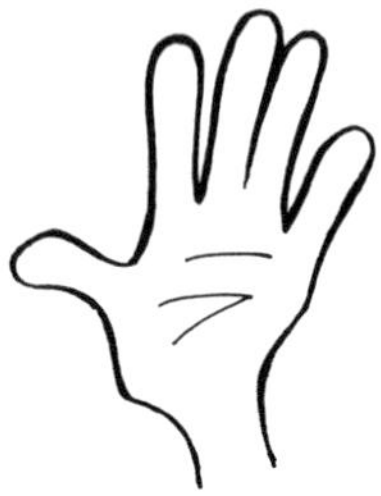	**FIca** (pronuncie o FI de maneira mais forte).

INFORMAÇÕES GERAIS SOBRE O COMANDO

"Fica" é também um comando muito útil. Imagine se você, ao passear com seu cão, resolve entrar numa loja para dar uma olhada. Se o seu cachorro souber esperá-lo do lado de fora, ótimo! O dono da loja ficará contente, e você mais ainda. Mesmo assim é importante que você o deixe preso (amarre a guia em algum lugar fixo), para garantir a segurança do cão e das pessoas caso ele saia da posição.

Antes que você comece a ensinar o "fica", lembre-se de que, acabado o tempo necessário, deve liberá-lo toda vez que pedir para que ele fique. Não que ele vá ficar congelado nessa posição para sempre, mas, se você não liberá-lo, nunca conseguirá manter seu cachorro por mais de alguns instantes nessa posição. E, se isso acontecer, o cachorro tomará para si a decisão de sair da posição quando achar que é conveniente, o que não é o que você pretende; além do mais, o fato de ser obrigado a tomar essa decisão causa uma ansiedade no cachorro, acabando por influenciá-lo a sair da posição o mais rapidamente possível.

As pessoas encontram dificuldades em ensinar o "fica" por dois motivos principalmente. Em primeiro lugar, o cachorro pode achar que está sendo abandonado pelo dono e sair correndo em sua direção. O outro motivo é o excesso de distrações em volta do animal, que torna a posição "fica" algo extremamente chato.

São problemas simples, mas, pelo fato de o cachorro se sentir recompensado nos dois casos, quando sai da posição, devemos agir com muita cautela; caso contrário nós o estaremos ensinando a não cumprir o comando. Por que em ambos os casos ele se sente recompensado? Por que o sucesso é uma das melhores recompensas que existem, e nos casos descritos ele é bem-sucedido naquilo que pretendia, já que quando saiu da posição, pretendia ir para perto do dono ou, então, xeretar outras coisas. Independentemente do que acontecer depois, ele foi recompensado no exato momento em que saiu da posição, e isso é péssimo para o treinamento.

Quais as dicas para superarmos esses problemas?

Primeiro, escolha um ambiente calmo, de preferência sua casa, pois, além de não haver muitas novidades em volta, ele não se sentirá abandonado se você se distanciar um pouco dele. Viu que fácil?

Outra maneira é amarrá-lo, sem que ele perceba, para que a tentativa fracasse, caso ele tente segui-lo.

CAPTURE O COMPORTAMENTO

Peça que seu cachorro sente ou deite e, assim que ele efetuar o comando, recompense-o. Aos poucos, vá aumentando o tempo de permanência até o momento de clicar e recompensá-lo. Caso ele esteja saindo da posição antes de você liberá-lo, o período está grande demais. Evite fazer seu cão errar e, sempre que ele errar (sair da posição), não o recompense.

RELACIONE O COMPORTAMENTO AO COMANDO:

Assim que o cão entender que precisa esperar para receber a recompensa, estará na hora de introduzir o comando oral e gestual do "fica". Assim que seu cão sentar, diga "fica", faça o gesto, espere alguns segundos e recompense-o.

MODELE O COMPORTAMENTO

Comece a recompensá-lo somente quando ele se mantiver na posição corretamente, sem alterar a posição dos membros.

AUMENTE O ESTRESSE E VARIE AS SITUAÇÕES

Nesta etapa, comece a se distanciar um pouco do cão antes de voltar e lhe dar a recompensa. Dê um passo para trás, volte e recompense-o. No início, não tire o olho do cachorro para ele saber que o exercício não acabou e, aos poucos, vá mostrando que você não precisa estar prestando atenção nele para que, depois de alguns segundos, ele seja recompensado.

Comece a olhar para os lados, vá se distanciando cada vez mais, ande em volta do cachorro e sempre o recompense quando voltar até ele.

Se você desconfiar que ele vai errar por algum motivo, no caso de um gato passar por perto, por exemplo, faça-o fracassar! Prenda-o novamente, sem que ele perceba, e caso ele saia da posição para perseguir o gato terá um surpresa: um tranco!

Outra forma de variar a situação é você sair correndo ou pular por cima dele, ou ir conversar com amigos etc. Até o momento em que seu cachorro não saia da posição de maneira nenhuma sem que você o libere!

PROBLEMAS E SOLUÇÕES

E se ele ficar um tempinho e depois sair da posição?

Vá mais devagar. Qualquer erro prejudica muito o aprendizado. Mas, quando ele errar, procure fazer que a intenção dele falhe. Por exemplo, se ele saiu para correr até você, não lhe dê atenção nem recompensa, ignore-o por um tempo e depois peça a ele que volte para a posição inicial e recomece novamente.

Atenção: Acostume-se a não ficar repetindo os comandos. Os cães podem entender que determinado comando só deve ser efetuado se falado algumas vezes, ou que você realmente só quer que ele o efetue quando repetir várias vezes.

JUNTO

GESTO	COMANDO ORAL
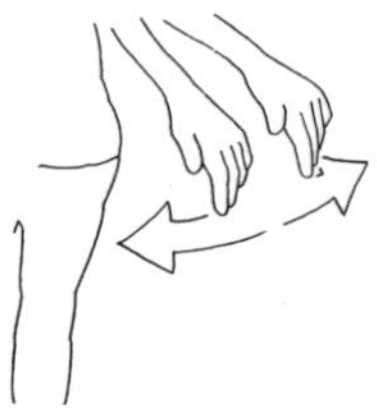	**JUNto** (pronuncie o JUN de maneira mais forte).

INFORMAÇÕES GERAIS SOBRE O COMANDO

Como nos demais comandos, procure ensiná-lo num lugar calmo, onde você já seja o atrativo principal, até que você também o seja nos outros locais.

Passear sem puxar a guia não é junto. "Junto" é um comando, e passear sem puxar a guia deverá ser sempre algo natural para o seu cachorro. Por isso, se for esse o seu interesse, estude o capítulo de como ensinar o seu cachorro a não puxar a guia.

Este exercício pode ser feito com a guia, desde que seja sutil, fique frouxa e não seja usada como símbolo de autoridade, para que o cão não associe o "junto" a punição e o obedeça com ou sem a guia.

CAPTURE O COMPORTAMENTO

Primeiramente, vamos capturar o comportamento do "junto", isto é, cada vez que o cão assumir a posição junto, vamos clicar e recompensá-lo. Podemos guiá-lo para a posição mostrando a recompensa.

O ideal é ensinar esse comando quando estiver passeando com ele, com o auxílio de uma guia comprida, pois ele irá para todo lado, para frente, para trás e, por acaso, ficará algumas vezes na posição junto.

Dê uma batidinha com a mão na perna quando ele tiver adquirido tal posição, clique e recompense-o imediatamente. Ao fazer isso, procure deslocar-se vagarosamente para que o cão entenda que o junto é uma posição relacionada a você.

RELACIONE O COMPORTAMENTO AO COMANDO

Logo o seu cão perceberá que toda vez que estiver ao seu lado e quando você bater a mão na perna, poderá ganhar a recompensa. Diga "junto" antes de clicar e recompensá-lo.

MODELE O COMPORTAMENTO

Siga andando e recompense-o toda vez que estiver na posição correta. Comece a mudar de direção e a modificar o ritmo das passadas, continue clicando e recompensando-o se ele mantiver essa posição.

Comece a espaçar as recompensas e nunca deixe explícito para o cão quando irá clicar e recompensar. Por exemplo, clique e dê a recompensa no primeiro passo, depois no quinto, no segundo, depois só no décimo e assim por diante. O objetivo é deixar o seu cachorro na expectativa de receber a recompensa a qualquer momento, assim ele vai se manter ao seu lado, na posição correta, pronto para ser recompensado.

Procure utilizar o comando como parte da recompensa, isto é, diga "junto" com alegria e entusiasmo. Quanto mais satisfação for relacionada com o comando, melhor. Procure utilizar a palavra quando o cão estiver mantendo a posição correta e não quando ele se distanciar e você chamá-lo para corrigir, para não criar uma relação negativa (punitiva) com o comando.

DIFICULTANDO E VARIANDO AS SITUAÇÕES

Comece a andar em ziguezague, mude de direção e de velocidade, e só o recompense se mantiver a posição do junto.

PROBLEMAS E SOLUÇÕES

Se não consegue ensinar seu cão a não puxar a guia durante os passeios, pode ensinar o "junto"?

Sim, não há nada que o impeça, só que isso provavelmente não resolverá o problema do puxar a guia durante os passeios.

BUSCA

GESTO	COMANDO ORAL
	**BUSca** (pronuncie o BUS de maneira mais forte).

INFORMAÇÕES GERAIS SOBRE O COMANDO

A maioria dos cães adora buscar objetos naturalmente, mas poucos os devolvem ao seu dono. Seguindo as instruções descritas aqui, você não terá esse problema.

CAPTURE O COMPORTAMENTO

A captura deste comando será facilitada se você, de vez em quando, pegar um brinquedo do seu cachorro e jogá-lo longe; assim que ele for até lá e pegá-lo, faça festa, mas não corra atrás dele. Elogie-o a distância. Caso ele se aproxime com o objeto na boca, faça mais festa ainda.

Você não deve correr atrás do cachorro, pois ele interpretará o ocorrido como uma ótima maneira de chamar sua atenção e começará a fazer isso mais e mais vezes. Aos poucos, ignore-o caso ele não volte com o brinquedo até você, logo ele perceberá que a brincadeira só atrai a sua atenção se ele voltar até você. Assim que ele estiver voltando sistematicamente, introduza a palavra "busca". Ele não estará devolvendo ainda o brinquedo para você, e nem você estará tentando tirá-lo dele.

Este é mais um dos motivos pelos quais é melhor não ensinar o cachorro a brincar de disputar a posse de um objeto (o famoso cabo de guerra), já que muitas vezes a recompensa é o próprio objeto. É preciso que seu cão saiba que tirar algo da boca dele não é brincadeira, é sério, e ele deve largá-lo assim que você pedir.

Agora que ele sempre fica ao seu alcance logo após você ter jogado um brinquedo, é hora de começar a tirá-lo dele. Uma das maneiras de fazer isso é dar um petisco como recompensa; para poder pegá-lo, ele será obrigado a abrir a boca e soltar o brinquedo.

Preste atenção: Elogie seu cão por ele ter voltado até você, aí pare de elogiar, praticamente ignorando-o, até tirar o brinquedo da boca dele; mas, assim que o objeto estiver com você, elogie-o e recompense-o, ignorando totalmente o objeto. Isso é feito para que o cão não relacione o elogio com a tentativa de tirar o objeto, pois, se essa associação ocorrer, seu cão vai disputar cabo de guerra toda vez que trouxer algo para você.

Outro cuidado é com a recompensa — às vezes o cachorro está tão interessado na recompensa que não vai buscar nada. Por isso é mais fácil ensiná-lo por meio da brincadeira até que ele entenda que, para receber a recompensa, é necessário buscar o objeto.

RELACIONE O COMPORTAMENTO AO COMANDO

Assim que seu cão já estiver trazendo regularmente o objeto para você, comece a relacionar o comando e o gesto todas as vezes que arremessar o brinquedo.

MODELE O COMPORTAMENTO

Ensine-o a ir buscar o objeto somente quando você falar. Para isso, prenda uma cordinha fina na coleira de seu cão, segure-a firmemente com a mão ou pise em cima, prendendo-a com o pé. Então, atire o objeto, mas não peça que ele busque. O cão provavelmente sairá correndo e será surpreendido com um tranco no pescoço. Peça que ele deite e aí o estimule a ir buscar, sem prender a cordinha, mostrando ao cão que ele não levará tranco no pescoço quando você der o comando busca.

Comece a estimulá-lo a buscar cada vez mais rapidamente e a trazer o objeto para você em linha reta; para isso diga "busca" com entusiasmo e, assim que seu cão apanhar o objeto, corra para o lado oposto, fazendo-o correr para alcançá-lo.

DIFICULTE E VARIE AS SITUAÇÕES

Comece a substituir os objetos para que o cão entenda o "busca" com qualquer objeto. Os primeiros devem ser brinquedos de que ele goste bastante, mas, depois que ele já tiver entendido a brincadeira, qualquer objeto servirá, pois ele estará interessado na recompensa (que pode ser sua atenção, a simples brincadeira ou alguma outra coisa).

PROBLEMAS E SOLUÇÕES

Como ensinar o "busca" a um cão que corre atrás do objeto, mas não o apanha?

Ensine-o primeiramente a morder um objeto sob comando; para isso, pegue algo que ele goste de morder, como um osso, dê para ele e, assim que ele o abocanhar, clique e recompense-o. Aos poucos, vá substituindo os objetos e aguarde mais para clicar até seu cão "acostumar-se" a segurar o objeto com a boca.

E se o cachorro pegar o objeto, mas não voltar?

É o problema mais comum e é facilmente resolvido. Corra para o lado oposto, estimulando-o a vir atrás de você. Recompense-o sempre que ele vier até você carregando o objeto, mesmo que no começo só carregue por alguns metros; estimule-o verbalmente (falando "muito bem!"), enquanto ele estiver com o objeto na boca e pare imediatamente assim que ele largá-lo.

PULA

GESTO	COMANDO ORAL
Aponte para o obstáculo.	**UPA**

INFORMAÇÕES GERAIS SOBRE O COMANDO

Ensinar os cães a saltar sobre obstáculos, além de divertido, pode se tornar útil em algumas caminhadas mais rústicas. Mas não estimule seu cão a pular obstáculos altos antes de se tornar adulto, pois o impacto contra o chão pode prejudicar irreversivelmente a estrutura óssea e muscular do cão.

CAPTURE O COMPORTAMENTO

Para capturar o comportamento, primeiramente devemos estimular o cão a simplesmente passar por cima de um cabo de vassoura ou de uma corda no chão. Cada vez que ele passar por cima, clique e recompense-o. Aos poucos, vá aumentando a altura do obstáculo e estimule-o a passar por cima, clicando no exato momento em que o cão pular ou passar por cima do obstáculo. O cão relacionará rapidamente que o que gera a recompensa é pular por cima do obstáculo, e não passar por baixo ou contornar.

Uma das maneiras de se conseguir que o cão passe pelo obstáculo é mostrar a recompensa no lado oposto a ele, estimulando-o a buscá-la.

RELACIONE O COMPORTAMENTO AO COMANDO

Assim que seu cão começar a saltar sistematicamente o obstáculo, introduza o comando "upa" um pouco antes de ele saltar, clique no exato momento do salto e recompense-o em seguida.

MODELE O COMPORTAMENTO

Alguns pulam tocando o obstáculo. Quando seu cão saltar, mas tocar o obstáculo, não o recompense. Recompense-o somente pelos melhores saltos. Lembre-se de ir modelando o comportamento aos poucos; não exija um salto perfeito logo no começo.

DIFICULTE E VARIE AS SITUAÇÕES

Aumente a altura e varie os obstáculos. Comece a apontar os obstáculos que seu cão deverá pular. Aponte para cadeiras, troncos deitados etc.

PROBLEMAS E SOLUÇÕES

E se o cão se limita a dar a volta no obstáculo e se recusa a pular?

Recomece o treinamento. Não o force a pular, pois seu cão pode adquirir medo dos obstáculos.

PLANEJAMENTO DE COMANDOS AVANÇADOS

Se já ensinou os comandos básicos para o seu cachorro, está na hora de você planejar outros ensinamentos. Todos seguem a mesma rotina, mas quanto melhor você entender o seu cão, mais fácil serão os novos aprendizados.

Apesar de mais avançados, o seu cão provavelmente os aprenderá com muito mais facilidade, pois já existe uma comunicação mais eficiente entre vocês, e seu cão já sabe que você está tentando lhe ensinar algo.

Primeiro, comece a combinar comandos. Por exemplo, diga "fica" para seu cachorro, vá esconder algo e então diga a ele para ir buscar; na volta, peça a ele que se sente à sua frente e retire o brinquedo. Tudo isso pode ser considerado um único exercício, e seu cão saberá que deverá fazer tudo corretamente para receber a recompensa. Mas vá devagar, evite a todo custo que ele erre.

Pense o que você quer ensinar a ele, depois divida em etapas fáceis e lógicas. Vamos seguir um exemplo: você quer que o seu cão busque objetos identificados pelo nome.

Uma maneira não muito inteligente seria esperar que ele acertasse naturalmente, e só então você o recompensaria. Além de ser um processo demorado, você pode acabar treinando o cachorro a não buscar objetos, já que a maioria das vezes que o fizer ele não receberá nenhuma recompensa, já que trará objetos diferentes daqueles que você pediu pelo nome.

Devemos dividir o treinamento em duas partes:

O comando "busca", que seu cachorro já deve conhecer bem, e a identificação de objetos.

Como seu cachorro já sabe o busca, vamos ensiná-lo a identificar os objetos. Uma das maneiras é assim:

A. Segure o objeto (chaves do carro, jornal etc.) na frente do seu cachorro.
B. Clique e recompense-o quando ele o investigar (cheirar).
C. Repita o processo várias vezes.
D. Quando seu cão começar a tocar nos objetos para conseguir a recompensa, comece a falar os nomes um pouco antes de ele tocá-los.
E. Ensine, pelo menos, o nome de dois objetos.
F. Coloque três objetos no chão e diga o nome de um deles. Só clique e recompense seu cachorro quando ele identificar o objeto corretamente.

Agora, seu cachorro já sabe buscar e também identificar objetos, e você já pode pedir que ele busque um objeto determinado, mas só o recompense se ele buscar o correto. Pronto, não é tão difícil assim.

Podemos ensinar uma infinidade de coisas aos nossos cães. O truque é planejar o aprendizado em etapas fáceis e óbvias.

NÃO COMER COMIDA ENVENENADA

Infelizmente alguns cães morrem por envenenamento proposital. Este ensinamento pode salvar a vida do seu cão. Como qualquer condicionamento, não basta ensinar uma vez e esquecer-se do assunto. Lembre-se de verificar se o seu cão continua recusando alimentos atirados no seu quintal.

Será mais fácil condicionar seu cão se ele estiver acostumado a receber comida somente dos donos ou apenas em sua vasilha de ração.

A punição para o comportamento errado obviamente deve ser despersonalizada, pois queremos que o cão não ingira alimento atirado, independentemente da nossa presença, e para isso devemos montar armadilhas punitivas. Planeje cuidadosamente a situação para que se assemelhe o mais possível a um acontecimento real. Isso envolve uma pessoa estranha, para o seu cão, jogando o alimento. Lembre-se de não tocar no alimento para não deixar o seu cheiro, pois o cão poderá relacionar o seu cheiro no alimento à punição e poderá ingerir o alimento quando ele não tiver o seu cheiro!

A maneira mais eficiente e segura que conheço para condicionar os cães a não comer alimentos envenenados é usando um choque elétrico fraquíssimo, que não fornece nenhuma pista de que é uma armadilha para seu cão, o que não acontece com qualquer substância amarga que poderíamos utilizar para essa finalidade e que poderia ser descoberta pelo cheiro, além do que, alguns alimentos são tão atrativos que o cão pode nem se importar com o gosto amargo.

Atenção: Não ligue a carne diretamente na corrente elétrica (110V), pois isso pode matar o seu cão!

O choque elétrico deve ser suficiente para causar somente um desconforto, obrigando o cão a largar o alimento. A intensidade do estímulo elétrico dependerá da sensibilidade do seu cão e de sua determinação em pegar o alimento.

Utilize a armadilha em diversos locais e com diversos alimentos, sempre tentando imitar o que realmente poderia acontecer. Use somente aparelhos específicos para essa utilidade e evite geringonças caseiras, pois quando se trata de eletricidade, é importante ter segurança.

Tome cuidado para que o cão não ignore o choque e engula a carne com um pedaço de fio elétrico. Por segurança, amarre o fio em um pedaço de madeira ou algo preso no chão, dessa forma mesmo que o cão ingira um pedaço de carne, o fio ficará preso no chão.

Uma maneira de aumentar a intensidade do desconforto percebido pelo seu cachorro, sem ter que aumentar a voltagem, é molhando o chão onde o cão irá pisar.

Mas a melhor maneira de evitar que seu cão seja envenenado é mantê--lo com a família e evitar que desenvolva comportamentos que possam irritar vizinhos e transeuntes.

TRUQUES, JOGOS E BRINCADEIRAS

CUMPRIMENTA

Para ensinar esse comando, parta do "senta" e clique e recompense cada movimento que seu cão fizer para ficar na posição desejada. Para estimulálo a adquirir a posição, segure a recompensa acima do cão sentado, bem próximo à cabeça dele, estimulando-o a se esticar para conseguir pegá-la. Ou seja, se ele levantar uma pata, clique e recompense-o e, aos poucos, exija que se levante cada vez mais. Caso ele pule, não o recompense e comece novamente.

FRISBEE

Jogar *frisbee* (disco de plástico leve, próprio para arremesso) com cães é um esporte já bem difundido nos EUA, e assistir cães bem treinados é um espetáculo. Os cães ativos costumam adorar esse esporte, que tem a característica de ser pouco desgastante para o proprietário, já que é o cão que corre, pula e traz o *frisbee* de volta.

O esporte nada mais é do que lançar o *frisbee* e seu cão trazê-lo de volta, mas você pode incrementá-lo aos poucos. Ensine seu cão a saltar e pegar o *frisbee* no ar, o que, com a prática, ele naturalmente começará a fazer; depois comece a associar os comandos, como, por exemplo, pedir que seu cão pule por cima de você, ao mesmo tempo em que você arremessa o *frisbee*.

Por exemplo, peça que seu cão pule sobre você e só jogue o *frisbee* para ele buscar após ele ter pulado e, quando ele o trouxer, clique e ofereça algum petisco, o que o fará largar o disco. Alguns cães passam a curtir tanto a brincadeira que o petisco não se torna necessário. O cão fica tão entusiasmado esperando o novo lançamento que, às vezes, chega a ignorar o petisco.

FREESTYLE

Freestyle nada mais é do que dançar com o cão. Consiste em treinar uma sequência de comandos com o cão sinalizados apenas com gestos e executá-los ao som e ao ritmo de uma música. Como o nome já diz, o estilo é livre, não há muitas regras, mas é preciso um pouco de coordenação. O cão fica o tempo todo atento à movimentação do dono. Além de divertido é muito interessante a interação e a sincronia entre a dupla.

ACOMPANHAR A BICICLETA

Uma ótima maneira de reduzir a ansiedade do seu cão é levá-lo para o acompanhar num passeio de bicicleta. Existem algumas medidas preventivas para evitar acidentes, mas, mesmo assim, tome o máximo de cuidado até seu cão se acostumar com os passeios.

O acidente mais comum ao ensinar um cão a acompanhar uma bicicleta é o atropelamento do cão pelo próprio ciclista. Por isso, amarre a guia de uma maneira que seu cão não possa cruzar à sua frente.

Atenção: **A ponta da guia não deve passar o eixo da roda da frente da bicicleta.**

Existem equipamentos que são feitos especialmente para tornar mais seguro o passeio com seu cachorro. Além de manterem seu cão a uma distância segura da bicicleta, alguns possuem travas de segurança que se abrem automaticamente quando há uma pressão excessiva, o que acaba sendo muito útil quando "passar", por exemplo, um poste entre você e seu cão.

PUXAR PATINS ETC.

Cães podem ser treinados para puxar skates, patins etc. A sugestão é colocar um peitoral para que ele possa fazer força sem ser enforcado, e também para que não se acostume a puxar a guia quando estiver sem o peitoral.

É importante que seu cão acostume-se primeiramente com os patins ou com o skate antes de começar a treiná-lo a puxar. Para isso, simplesmente leve-o para passear quando você estiver patinando ou andando de skate. Este comando é mais facilmente ensinado com a ajuda de uma segunda pessoa, que poderá chamar o cachorro, induzindo-o a puxar você.

GUARDAR OS BRINQUEDOS

Treinar seu cão a guardar os brinquedos dele dentro de uma grande cesta é algo difícil, mas faz sucesso entre os amigos. A palavra de comando pode ser "visita", e sempre que seu cão ouvi-la, irá correndo guardar os brinquedos.

Qual a dica para treinar esse comando? Primeiramente ensine o "busca". Depois, com a cesta de brinquedos em sua frente, peça que o cão largue o brinquedo, que naturalmente cairá dentro da cesta. Nesse exato momento, clique e o recompense. Aos poucos, vá se afastando da cesta e só clique quando seu cão deixar o brinquedo dentro dela. Introduza o comando assim que seu cão entender que ele deve pegar o brinquedo e colocá-lo na cesta.

Introduza mais um brinquedo na atividade e, assim que seu cão soltar o primeiro, clique, recompense-o e peça-lhe que busque o segundo. Vá introduzindo cada vez mais brinquedos e recompense-o cada vez menos, até que ele entenda que é necessário guardar todos os brinquedos para receber o petisco.

PROCURAR AS CHAVES

Esse comando é bastante útil para pessoas distraídas, que sempre perdem as chaves. Seu cachorro adorará ajudar você a achá-las, além de ser um belo truque para impressionar seus amigos. Para ensinar seu cão a procurar suas chaves pela casa, é necessário ensiná-lo primeiramente a buscar objetos. Compre um chaveiro interessante, e de preferência indestrutível, para seu cão ficar mais interessado nas chaves, e então comece a brincar com o comando busca, mas inclua a palavra chave, ou seja, diga "busca chave". Peça que seu cão fique ou prenda-o em algum lugar, esconda as chaves e peça a ele que as encontre. Aos poucos ele relacionará o comando com o ato de encontrar as chaves.

Minha cadela percebeu que, após eu bater com a mão em cima do meu bolso para procurar as chaves, eu pedia ela que as buscasse. Agora basta bater a mão no bolso para ela sair como uma bala para pegá-las.

> **Dica:** **Passe um pouco de perfume no chaveiro ou compre um que já tenha um cheiro característico para facilitar a busca das chaves e permitir que o cão as ache, mesmo nos lugares mais escondidos.**

ATAQUE E DEFESA

Muitas pessoas maltratam e confinam o animal para que ele possa se tornar um bom cão de guarda. Esse é um conceito totalmente errado que, felizmente, aos poucos, está deixando de ser posto em prática.

Um cão que fica preso, ou que não foi devidamente socializado, pode desenvolver agressividade provocada pelo medo, que é um tipo de agressividade perigoso e difícil de controlar.

Um bom cão de guarda não é aquele que você é obrigado a manter confinado no quartinho dos fundos ou preso a uma corrente, pois atacaria até mesmo seus filhos ou qualquer amigo deles. O bom cão de guarda é aquele animal que pode estar sempre com você, que é capaz de intimidar pessoas com más intenções ou até mesmo atacar se for preciso. Para que isso possa ser feito com segurança, é necessário um cão corajoso, extremamente socializado e com um temperamento impecável. Por isso, independentemente da função futura de seu filhote, trate-o da melhor forma possível e socialize-o com todos os tipos de pessoas e animais, para que se torne corajoso e destemido.

Antes de começar a estimular a agressividade de seu animal, lembre-se de que todo adestramento é um condicionamento, e tem que ser constantemente controlado para que não se modifique. Quem assiste provas de ataque e defesa sabe que é bastante comum cães agarrarem o braço do figurante e, mesmo sob o comando do treinador, não soltarem imediatamente. Imagine agora que seu cão confundiu o comando ou a atitude de algum amigo seu e resolve triturar o braço dele por mais alguns segundos antes de largar...

Estimular a agressividade de um carnívoro potente é perigoso e algo que não deve ser tratado como brincadeira.

Um cão que mora com uma família possui uma realidade diferente da de cães que são utilizados na caça de criminosos, por isso o ataque e a defesa desses cães devem ser diferenciados. Você provavelmente não gostaria que seus amigos se sentissem intimidados ao dar tapinhas nas suas costas ou se sentissem obrigados a se comportar de determinada maneira só porque você possui um cão de guarda; ou mesmo que os coleguinhas de seu filho estivessem em perigo sempre que uma brincadeira física estivesse acontecendo.

Com base na realidade de famílias que têm um cão e nos perigos reais que elas enfrentam, estão mencionados aqui alguns comandos e dicas que podem proteger sua casa e, ao mesmo tempo, não criar um monstro ou um cão que exija que você fique alerta o tempo todo para evitar acidentes.

DEFENDER A CASA ATÉ VOCÊ CHEGAR PERTO

Grande parte dos cães já defende a casa naturalmente, mas é importante que eles parem de latir ou de se mostrar agressivos assim que você se aproximar, esperando para adotar qualquer atitude de acordo com o sentimento que você demonstrar. Assim, você terá um cão que defende a sua casa, mas permite que suas visitas e amigos entrem sem problemas.

DICA PARA CÃES QUE NÃO MOSTRAM AGRESSIVIDADE PARA PROTEGER A CASA

Peça a um amigo seu que não conheça seu cão que o provoque por trás do muro ou da grade, instruindo-o a sair correndo, fingindo que está morrendo de medo, a qualquer sinal de agressividade do cão. A intenção desse condicionamento é fazer o cachorro se sentir recompensado ao conseguir impedir um estranho de se aproximar de seu território. Aos poucos, a autoconfiança dele aumentará e o “estranho” poderá provocá-lo ainda mais. É importante que você não esteja próximo ao se fazer esse exercício. Se o seu cão estiver desenvolvendo medo do "estranho", a provocação estará indo longe demais para a autoconfiança do cão.

COMO FAZER O CÃO PARAR DE LATIR QUANDO VOCÊ SE APROXIMAR

Se você for o líder da matilha, provavelmente isso ocorrerá naturalmente, assim que você mostrar calma diante da situação. Caso isso não esteja ocorrendo, continue aplicando as dicas para se tornar o líder da matilha e procure utilizar uma punição personalizada, como é o caso do spray com água para impedir seu cão de latir. Ou seja, sempre que latir, espirre nele e diga "não"!

É importante personalizar essa punição, já que você quer que o cão continue latindo até você se aproximar.

Atenção: **Quando necessário, é o proprietário que deve punir, e não o estranho! Um estranho nunca deve punir um cão de guarda.**

Mantenha o controle do condicionamento: Com o tempo seu cão pode se tornar mais ou menos agressivo, por isso, lembre-se de manter o condicionamento. Só faça esse tipo de condicionamento se você realmente precisar, pois aumentará a chance de o seu cão morder alguém.

COMANDO "AMIGO"

Não devemos nos esquecer de ter o cuidado de não punir a agressividade antes que ela realmente ocorra, ou seja, não é porque um gato está passando na frente do seu cão que você irá puni-lo, dar um tranco na guia ou ameaçá-lo. Caso você faça isso, pode ocorrer o oposto: o cão pode associar o gato a algo ruim, já que acontecimentos desagradáveis ocorrem sempre que um gato é avistado. Por isso é muito útil ensinar um comando para cortar a agressividade de seu cão. Sempre que você o utilizar, ele saberá que não será tolerada qualquer agressividade. Esse comando pode ser utilizado tanto para pessoas quanto para outros animais.

Diga a palavra "amigo" antes de seu cão mostrar agressividade e recompense-o por não mostrá-la. Brinque com ele ou dê um petisco ao passar por gatos, outras pessoas ou objetos diante dos quais seu cão poderia se mostrar agressivo. Lembre-se: recompense-o antes de ele se mostrar agressivo, caso contrário você estará recompensando a agressividade dele. Mas se ele demonstrar agressividade, repreenda-o imediatamente.

O TREINAMENTO DE ATAQUE (OU DEFESA)

Um cão que vive numa família deve estar relaxado e se divertindo com as visitas e amigos do proprietário, e não preocupado em avaliar as situações de perigo, já que há a possibilidade de uma interpretação errada por parte do animal, colocando em risco a integridade física ou psicológica dos demais.

Um cão pode agredir naturalmente um amigo que se aproxime rapidamente ou que faça algum movimento considerado perigoso pelo cão. Apesar de ser natural, não devemos tolerar esse tipo de comportamento, que, com o tempo, pode ir se intensificando e se tornando desagradável, e até mesmo perigoso.

O trabalho do adestramento de defesa consiste em ensinar o cão a reagir agressivamente ao receber determinados comandos do proprietário ou quando houver uma pessoa se comportando de modo suspeito. Nas aulas, geralmente, o ladrão ou agressor é simulado por uma pessoa contratada, o "cobaia". O treino consiste em provocar a reação agressiva do cão; ele precisa perseguir o alvo até abocanhá-lo e só soltá-lo quando receber ordem do proprietário.

Por melhores que sejam o cão, o proprietário e o treinador, quando se trata de comportamento e de aprendizado não há como esperar que funcionem como relógio suíço. O cão treinado para atacar pode confundir uma criança, brincando de esconde-esconde em um parque, com um "cobaia" e atacá-la. Ou partir para o ataque por interpretar erroneamente um movimento ou uma palavra. Há a possibilidade, ainda, de não ser obedecido o comando de soltura. Tais acidentes não são apenas hipóteses. São comuns com cães treinados para defesa!

Treinar um cão para atacar não deve ser comparado à programação de uma função no computador, daquelas que geram sempre a mesma resposta quando ativadas. Condicionamentos precisam ser mantidos, revisados e corrigidos. E o controle deve ser maior ainda quando se lida com comportamentos perigosos.

Há quem receite o treinamento de ataque para corrigir o cão medroso. A alegação é que ele irá se tornar mais confiante e, com o tempo, mais corajoso. É verdade que com o treino muitos cães medrosos passam a atacar. Mas isso não quer dizer que deixam de ser medrosos. A maioria deles aprende a atacar por medo, e isso cria uma situação especialmente perigosa e de difícil controle. Existe também o mito de que, para obter controle total sobre um cão, é necessário ensiná-lo a atacar e a interromper o ataque sob comando. Acreditando nisso, alguns adestradores podem estimular o cliente a treinar o cão para o ataque mesmo quando o objetivo é apenas o melhor controle.

Se você ainda não desistiu da ideia de ter um cão treinado para o ataque, é possível treinar um cão para latir e acuar um invasor sem mordê-lo. Esse condicionamento é bem mais seguro e também tende a estimular a agressividade do cão, mas não é tão perigoso quanto o treino que permite ao cão morder pessoas. A nossa intenção é quase sempre espantar, e não segurar o ladrão.

Lembre-se de que nas situações de assalto as pessoas estão em pânico, e assustar um ladrão armado nem sempre é a melhor solução.

FINGIR AGRESSIVIDADE EM UM PASSEIO QUANDO UM MARGINAL SE APROXIMA

Passear na rua com um cão de porte médio ou grande que se mostre agressivo com certeza protege muito mais do que estar acompanhado de um cão que se mostre completamente dócil, mesmo que ele tenha sido

treinado para atacar se alguém agredir o proprietário. O fato é que raramente um ladrão pensa em agredir uma pessoa que está passeando com um cão, mas poderá ameaçar você e pedir-lhe delicadamente que passe seus objetos de valor, enquanto seu cão supertreinado assiste calmamente, já que o ladrão não lhe aplicou uns bons tapas e você não é louco de berrar "pega".

A melhor maneira de prevenir um assalto é fazer parecer que seu cão é agressivo e que qualquer aproximação será perigosa, mesmo que na realidade não seja. Um ladrão, antes de assaltar uma pessoa, procura observá-la um pouco e espera o momento ideal para agir. Se seu cão latir e rosnar para alguém, mesmo que não seja para o ladrão, ele provavelmente se intimidará. Por isso, utilize o comando para latir de vez em quando durante os passeios, clique e recompense seu cachorro se ele latir ou parecer agressivo. Seu cão, sempre que você pedir, procurará alguém à sua volta para latir a fim de ganhar a recompensa. Utilize o comando, sussurrando-o sempre que achar que alguém com más intenções está se aproximando. Isso vai dar ao ladrão a falsa impressão de que seu cão é agressivo e está fora de controle.

APLICAÇÃO PRÁTICA

1. Só comece a usar a palavra correspondente ao comando depois que o cão já estiver condicionado ao comportamento desejado. Por exemplo, só depois que seu cachorro tiver aprendido a andar ao seu lado você passará a usar a palavra "junto".
2. Não se esqueça de que o cão deverá ter assimilado bem um comportamento antes de passar de uma etapa para a seguinte. Assim, primeiro capture o comportamento, depois relacione o comportamento ao comando, em seguida modele o comportamento, varie as situações etc.

Quinta Parte

Problemas de comportamento e como resolver

Neste livro, procuramos explicar o quanto os cães são inteligentes e de que maneira eles pensam. Não devemos declarar guerra aos nossos cães, e sim aprender a pensar como eles. Eles não são robôs nem seres condicionados que simplesmente reagem a estímulos: são animais que merecem nosso respeito e consideração, pois carregam todo um repertório de comportamentos desenvolvido ao longo de milhares de anos de evolução.

Para nós é obviamente errado quando os cães latem para o carteiro, ou cavam, abrindo buracos no jardim etc., mas para eles esse comportamento é perfeitamente normal e natural, até o momento em que ensinarmos o oposto a eles. Eles não fazem isso para nos irritar, acredite!

Tenha paciência: procure entender o verdadeiro motivo que leva seu cão a se comportar mal e então o corrija da melhor maneira e de forma inteligente.

AS NECESSIDADES FISIOLÓGICAS DO CÃO

NESTE CAPÍTULO VOCÊ VAI APRENDER:

- que o cão pode urinar ou defecar em lugares variados, por diversos motivos, cada um deles exigindo um tratamento diferenciado;
- que as broncas podem piorar o problema;
- a melhor maneira de acostumá-lo a fazer as necessidades num único local;
- os equipamentos que auxiliam no condicionamento;
- o cronograma que permite ensinar o filhote a urinar somente num local em apenas alguns dias;
- que não se deve limpar os excrementos feitos em local errado quando seu cão estiver presente.

FAZER AS NECESSIDADES EM UM LUGAR DETERMINADO

Fazer as necessidades em um lugar determinado é um comportamento que pode ser ensinado tanto para cachorros adultos quanto para filhotes, sendo relativamente simples treiná-los. Alguns filhotes aprendem em menos de uma semana.

Os cachorros urinam e defecam levados por diversas causas além da natural necessidade de se aliviar, tornando-se necessário identificar cada uma delas, pois o método de controle varia de acordo com o motivo.

Um cachorro que urina por submissão, se receber uma bronca ao urinar, com certeza terá o seu problema agravado. Se o seu cachorro urinar pela casa para mostrar a você que ele é o chefe, cabe a você trabalhar para tornar-se o chefe da matilha (leia o capítulo "A matilha"), e não simplesmente mostrar-lhe o local adequado para urinar.

O CONDICIONAMENTO COMEÇA CEDO

Assim que você levar o filhote para casa, pode começar o treinamento. Aos dois meses, um filhote já pode estar perfeitamente treinado para defecar e urinar nos seus "banheirinhos" ou do lado de fora da casa. Mas isso não quer dizer que não ocorrerá, de vez em quando, algum "acidente".

Grande parte dos filhotes aprende a urinar para chamar a atenção dos donos, e eles geralmente são bem-sucedidos. Os donos não percebem, mas muitas vezes, ao dar uma bronca em seus cachorros, estão lhes dando exatamente o que eles pretendiam: atenção! Outros entendem que fazer xixi é errado e começam a se aliviar somente quando não estamos olhando ou em locais escondidos. Por isso, preste atenção nas dicas descritas aqui e siga-as rigorosamente para evitar problemas futuros.

Antes de começar o treinamento, adquira os seguintes produtos que o auxiliarão:

1. uma caixa de transporte;
2. um produto neutralizador de odores.

NÃO DÊ ATENÇÃO A COMPORTAMENTOS INDESEJÁVEIS

A melhor maneira para treinar um filhote a utilizar somente um lugar é impedi-lo de defecar em outros locais e estimulá-lo a usar o local adequado.

Nunca dê bronca ou chame a atenção do filhote depois de ele ter feito a sujeira – isso é importante! Você pode dificultar muito o treinamento caso seu cão, por medo da bronca, deixe de urinar e/ou defecar na sua frente. Levar o filhote para o local do crime e repreendê-lo ou, ainda, esfregar seu focinho no local são atitudes que só agravam o problema. Por que isso acontece? Simples, o cachorro percebe que você dá atenção a urina e fezes e, além disso, que você é capaz de parar o que está fazendo para lhe dar atenção caso ele defeque ou urine. Você já deve ter visto cães começarem a estragar móveis e objetos e a urinar pela casa inteira quando o dono recebe visitas; um dos motivos que levam o cão a agir assim é o desejo de chamar a atenção do dono que, naturalmente, está voltada para as visitas.

Como já foi dito, evite dar atenção quando o filhote urina ou defeca fora do lugar apropriado. Se o "acidente" por caso acontecer quando você não estiver prestando atenção, finja que você nem viu as fezes e a urina; espere que ele vá para outro recinto, limpe a sujeira e neutralize o odor (use o neutralizante em lugar de um simples produto de limpeza). É importante neutralizar, pois os cachorros naturalmente fazem as necessidades nos lugares em que sentem cheiro de fezes e urina.

Devemos ter um cuidado especial para evitar que o cachorro faça suas necessidades fora do local correto, pois, além de deixar seu cheiro e provocar outros desastres, cada vez que seu cachorro defeca ou urina, não importa onde, ele imediatamente se sente recompensado pelo prazer de se sentir confortável (o desconforto da bexiga ou do intestino cheio passa). A repetição do ato de fazer as necessidades fora do local pode acabar criando um hábito, que se tornará, com o passar do tempo, cada vez mais difícil de ser corrigido.

Nesse momento punições devem ser evitadas, pois a conclusão mais óbvia para eles é que tomam bronca quando se satisfazem em vez de entenderem que devem fazer em um determinado local.

ROTINA COMO SOLUÇÃO

Agora que sabemos que é necessário evitar que o cão faça suas necessidades no lugar errado, que não devemos dar broncas no cachorro quando ele fizer isso, e muito menos limpar os excrementos na frente dele, é importante aprender as dicas para se chegar à situação ideal.

Você deve tomar alguns cuidados especiais para que não seja um mistério o momento em que seu cachorro irá fazer suas necessidades, assim você poderá levá-lo ao local adequado – isso mesmo: levá-la ao local –, para que possa recompensá-lo enquanto estiver fazendo suas necessidades. Dessa forma, para o cachorro, fica óbvio qual é o local certo para fazer as necessidades, e ele também descobre que consegue sua atenção se urinar ou defecar ali. É interessante observar cães que vão para o local correto para fazer suas necessidades quando há visitas em casa, pois sabem que conseguirão a atenção do dono se fizerem no local correto. Perfeito, não?

A maneira ideal para conseguir prever quando seu cachorro irá urinar ou defecar é estabelecer uma rotina. A alimentação deve obedecer os mesmos horários todos os dias, e ele deve ser levado para o "banheiro" antes e depois das refeições e estimulado a fazer suas necessidades. Quando ele começar a fazê-las, agrade-o e mantenha-se fazendo isso até ele acabar (seja sutil para não inibir o ato). Assim que ele terminar, recompense-o com petisco e leve-o de volta para o convívio familiar.

Apresentaremos alguns esquemas de rotina que funcionam bem para filhotes de dois meses de idade.

6:00 levá-lo ao "banheiro", alimentá-lo, dar-lhe água e levá-lo ao "banheiro" novamente.

9:00 levá-lo ao "banheiro".

12:00 levá-lo ao "banheiro", alimentá-lo, dar-lhe água e levá-lo ao "banheiro" novamente.

15:00 levá-lo ao "banheiro".

18:00 levá-lo ao "banheiro", alimentá-lo, dar-lhe água e levá-lo ao "banheiro" novamente.

21:00 levá-lo ao "banheiro", alimentá-lo, dar-lhe água, e levá-lo ao "banheiro" novamente.

E, antes de ir dormir, leve-o mais uma vez ao "banheiro".

Normalmente, a comida não deve ficar à disposição do cachorro que está sendo treinado a utilizar o "banheiro", mas evite restringir a água.

Nunca devemos fazer um cão reter fezes ou urina por mais tempo que o natural para um animal de sua idade. Para fazer o cálculo de tempo, soma-se 1 à idade do cão em meses, o resultado é o número de horas que o cão pode ficar sem fazer suas necessidades, até 8 horas, no máximo, para cães adultos. Por exemplo: se o cão tiver 2 meses, ele poderá ficar sem urinar ou evacuar por 2+1=3 horas, no máximo.

Após acordar e depois de comer são as ocasiões mais propícias para seu cão ir ao "banheiro"; portanto, além de levá-lo nessas ocasiões, coloque-o na caixa de transporte (ela deve ser agradável para o cão, veja o capítulo específico de equipamentos). Não o confine onde deve urinar, pois o banheiro não pode ser um local em que o cão realiza outras atividades senão fazer suas necessidades, além do que ele pode começar a brincar com o jornal ou com a fralda e realmente deixar de usar o local como banheiro.

Nunca deixe seu animal na caixa de transporte por mais tempo do que ele pode segurar suas necessidades. Se utilizar a caixa de transporte corretamente, você e seu cão serão enormemente beneficiados.

VOCÊ SE DISTRAI

Caso você perceba que ele está se abaixando ou começando a fazer suas necessidades, pegue-o rapidamente e leve-o para o local correto ou, ainda melhor, tente distraí-lo, jogando alguma coisa ou provocando algum barulho que o atrapalhe (bater palmas, por exemplo), e leve-o imediatamente para o lugar adequado. É muito importante que você evite dar qualquer atenção enquanto ele estiver fazendo as necessidades no local errado: se você perceber que não vai ter tempo de agir, não faça nada e também não dê bronca, espere que ele saia do local do crime e, só então, limpe a sujeira secretamente.

Sei que não é fácil deixar de dar bronca no seu cãozinho depois de ele ter urinado no seu tapete persa, mas, acredite, quanto mais correto for o adestramento, mais cedo seu cão deixará de utilizar seu tapete persa como "banheiro". Broncas serão utilizadas mais para frente.

ADULTOS TAMBÉM PODEM SER ENSINADOS

O mesmo procedimento pode ser utilizado com um cão adulto; este só precisa ir ao "banheiro" três vezes ao dia e pode ser alimentado só duas vezes ao dia. Existe uma pequena diferença cujo conhecimento pode ajudar: um filhote defeca e urina geralmente 6 minutos depois de ser alimentado, enquanto o tempo para um adulto é de aproximadamente 15 minutos após a alimentação.

Esse procedimento geralmente resolve o problema da educação do seu cão para que ele utilize o local correto para fazer suas necessidades, mas certifique-se de que seu cachorro não esteja urinando ou defecando por outros motivos, como submissão, dominância, medo etc.

URINAR POR SUBMISSÃO OU EXCITAÇÃO

Se seu cachorro urina quando você fala com ele ou quando você chega em casa, provavelmente ele deve estar experimentando um destes dois problemas: urinar por submissão ou por excitação.

Por mais desagradável que seja o que seu cachorro produzir quando vem ao seu encontro para recebê-lo, jamais fique bravo com ele, pois essa atitude agravaria qualquer uma das duas causas possíveis do comportamento dele.

Quando um cachorro urina por submissão, ele está se sentindo ameaçado pela sua presença e faz de tudo para dizer-lhe que você é o mais forte, e urinar é uma das maneiras que seu cão encontra para expressar isso. Nesse caso a postura é de submissão e, geralmente, o cão se deita antes de chegar até o dono ou se vira de barriga para cima.

Esse problema geralmente ocorre com animais muito sensíveis ou que foram maltratados (foram surrados, gritaram com eles etc.). É um sinal de que os donos estão sendo muito firmes ou agressivos para o tipo de cachorro que possuem.

Por outro lado, urinar por excitação significa apenas que o cachorro fica muito alegre com a sua presença, principalmente depois de uma separação. Devemos tomar cuidado com esse problema, pois, se não for resolvido, o cachorro pode continuar a urinar por excitação, mesmo depois de adulto.

Ambos os problemas são resolvidos da mesma maneira: devemos evitar excitar o cachorro nas despedidas e nas chegadas. A melhor maneira é ignorá-lo durante 10 minutos (finja que você não tem um cachorro), antes de sair e depois de chegar, até que o grau de excitação tenha diminuído. Em ambos os casos, as broncas só aumentam o conflito dos sentimentos de seu cachorro e, consequentemente, aumentam a ansiedade e a excitação.

Existem mais alguns truques para ajudar na solução do problema de urinar por submissão, como, por exemplo, não olhar diretamente para os olhos do seu cachorro; não caminhar em sua direção olhando para ele; procurar abaixar-se para fazer carinho nele; e evitar passar a mão na parte de cima da cabeça do animal, procurando sempre fazer carinho no peito ou na parte debaixo da cabeça, que é uma atitude menos ameaçadora para os cães.

RESUMO

- Não dê bronca.
- Não faça nenhum movimento que possa assustar seu cão.
- Ignore-o até que ele fique mais calmo ou confiante.
- Nunca grite com o seu cachorro nem o ameace.

URINAR POR DOMINÂNCIA

Quando o cachorro é mimado, consegue tudo o que pede na hora, não obedece ao dono e vive uma vida sem limites. Esse estilo de vida pode levar o cão a "marcar o território" (sua casa) sempre que se sentir contrariado. É importante mostrar a esses cachorros quem é o líder da matilha através de todas as técnicas descritas no capítulo "A matilha".

Sempre que seu cão voltar a apresentar o problema de fazer as necessidades fora do local determinado para isso, procure ensiná-lo novamente da maneira já explicada, identificando e eliminando a causa dessa regressão no aprendizado.

Outro cachorro, um gato ou uma pessoa recém-chegada (às vezes um bebê) na casa também podem causar a regressão no aprendizado, e o cão veterano pode querer mostrar ao "intruso" quem domina o pedaço, demarcando o território com urina. Se o recém-chegado for um cachorro, eduque-o enquanto reeduca o primeiro, para que urinem no local adequado até que o intruso deixe de ser uma novidade na casa.

Atenção: Não saia correndo e dando bronca em seu cão quando ele urinar em local errado. Puna-o sem lhe dar atenção e despersonalize as punições.

RESUMO

- Seja o líder da matilha.
- Evite dar atenção quando seu cão urinar ou defecar em lugar impróprio.
- Reeduque-o sempre que necessário.

OUTRAS CAUSAS QUE PROVOCAM A REGRESSÃO NO APRENDIZADO

Existem outros inúmeros motivos para que seu cão esteja defecando e urinando em lugares indevidos. Se você não conseguir identificar exatamente a causa ou causas que estão provocando esse comportamento, procure em primeiro lugar seu veterinário para ver se o problema não está ligado à saúde de seu cão e, depois, passe novamente por todo o processo de educação para condicioná-lo a utilizar o "banheiro".

Qualquer alteração na casa, como a chegada ou a partida de pessoas, como já foi dito, um animal novo, mudanças nas rotinas dos moradores da casa etc. podem provocar o problema em seu cão por ele se sentir inseguro. Quanto mais confiante for o seu cachorro, menor será a chance de voltarem os problemas de comportamento por mudanças. Adestrar e socializar seu cão são maneiras de aumentar a confiança do animal.

Outro motivo que leva os cães a urinarem e defecarem é a intenção de encobrir outros cheiros; portanto procure neutralizar o odor e não simplesmente utilizar um produto de limpeza para limpar a urina e as fezes de outros animais.

Trocar a ração de seu cão também pode causar transtornos no controle das necessidades, caso você não faça uma mudança gradual durante, pelo menos, uma semana. Fazendo isso você também evitará outros problemas gástricos que possam ocorrer.

Uma boa dica para evitar que seu cão urine ou defeque em um lugar específico: coloque o prato de ração no local em que não deseja que ele faça suas necessidades, e o cão fará de tudo para não defecar próximo ao local em que come. Você também pode colocar a caminha dele nesse local ou brincar com ele por lá, assim diminuirá ainda mais a chance de ele continuar errando.

RESUMO

- Aumente a confiança do seu cão com um convívio saudável, bom adestramento e socialização.
- Consulte seu veterinário para ter certeza de que o motivo que leva seu cão a urinar ou defecar em ocasiões impróprias não é um problema fisiológico.
- Evite mudanças repentinas no cotidiano da casa.
- Sempre que precisar trocar de ração, faça uma mudança gradativa.

AGRESSIVIDADE

NESTE CAPÍTULO VOCÊ VAI APRENDER:

- que a agressividade deve ser cuidadosamente controlada;
- que cães equilibrados são melhores, tanto para um convívio harmonioso quanto para uma situação de defesa;
- que não se deve deixar um cão preso numa corrente, mesmo que você queira criar um "guarda".

AGRESSIVIDADE

Este é um tópico muito importante para que você possa entender e controlar a agressividade de seu cachorro. Devido ao grande potencial que alguns cães têm de machucar um ser humano, nunca hesite em consultar um especialista competente em comportamento animal para auxiliá-lo nesse assunto.

O número de acidentes provocados por esse problema é assustador. Várias raças têm a possibilidade de matar um ser humano com tanta facilidade que é preciso lidar com esse aspecto do animal com o máximo cuidado. Mesmo cães pequenos podem machucar seriamente uma criança. Crianças atacadas por cães podem ficar traumatizadas, ainda que não tenham sido machucadas, e é extremamente desagradável que alguém seja traumatizado por seu cão.

UM CÃO DE GUARDA NÃO TEM NECESSARIAMENTE QUE ATACAR

Para que um cachorro se torne um ótimo cão de guarda não é necessário ensiná-lo a atacar. Os melhores cães de guarda são aqueles que intimidam o ladrão e avisam o proprietário de que há alguém nas proximidades com más intenções.

Um cão de guarda excelente é aquele que, além de ameaçar e intimidar intrusos, recusa a comida oferecida por estranhos. Um cão de tal forma agressivo que o dono seja obrigado a prendê-lo para receber as visitas é um péssimo cão de guarda. Imagine você sendo obrigado a prender seu cão sempre que for receber visitas ou quando estiver na companhia de alguém; além de ser um grande inconveniente, há a possibilidade de a suposta visita ser um ladrão, e seu cão não poderá fazer absolutamente nada. Além disso, existe a possibilidade de seu cão escapar e atacar as pessoas de quem você mais gosta.

ALÉM DE SELECIONAR A RAÇA E A FAMÍLIA DO FILHOTE, GARANTA-LHE UM TRATAMENTO ADEQUADO

Existem raças mais ou menos agressivas, e dentro de cada raça existem cães que são mais agressivos que outros. Como parte da agressividade é transmitida geneticamente, procure adquirir filhotes de pais que possuam o temperamento que você deseja. Se você tem crianças em casa, dê preferência a filhotes de pais calmos e tolerantes. Mesmo filhotes pertencentes a raças agressivas, se tratados com cuidado durante o crescimento, podem se tornar excelentes cães, que jamais colocarão em risco qualquer membro da família.

Explicaremos a seguir como controlar a agressividade de seu cão. Independentemente de sua intenção de treiná-lo para o ataque ou não, estas precauções são sempre válidas para evitar um acidente com você ou com qualquer outra pessoa de sua família. Embora seja discutível o treino para ataque, se esta for sua opção, saiba que cães confiantes e equilibrados são os que permitem o melhor controle sobre o ataque (quando e como atacar), por isso, siga as sugestões aqui descritas.

IDENTIFIQUE CORRETAMENTE O TIPO DE AGRESSIVIDADE

Existem vários tipos de agressividade, e é importante saber identificá-los para podermos controlá-los de forma mais eficiente. Algumas raças sorriem para as pessoas, o que muitas vezes pode ser confundido com algum tipo de agressão; outras brincam de tal jeito que parecem estar nos ameaçando. Quando não tiver certeza, contrate um especialista para ajudá-lo a identificar se o comportamento duvidoso é ou não uma agressão e, se a resposta for positiva, qual o tipo de agressão.

Comportamento agressivo é todo aquele que tem como objetivo intimidar ou machucar uma pessoa ou outro animal.

NÃO ACORRENTE SEU CÃO

Prender um cachorro numa corrente deixa-o mais agressivo e psicologicamente desequilibrado. Seu cachorro só tem duas formas de defesa: uma é proteger-se ou fugir, a outra é atacar. Um cachorro preso por uma corrente fica desprotegido, só lhe restando a opção do ataque, já que a fuga é impossível. Qualquer coisa é uma ameaça para ele, e muitas vezes começam a atacar a tudo e a todos.

Dê preferência a qualquer outra solução para conter um cachorro, mas, caso a corrente seja a única saída, deixe-o próximo de algo que represente proteção e onde ele possa entrar, como uma casinha ou uma caixa de transporte, para que ele se sinta seguro. Use uma corrente com comprimento razoável, que o possibilite se movimentar, para que consiga urinar e defecar longe de onde come e dorme. Não há nada mais cruel que prender um cão e lhe privar o direito de viver de acordo com suas necessidades naturais.

ESTUDE O PROBLEMA ANTES DE TENTAR CURÁ-LO

Descreveremos aqui as principais formas de agressividade: por dominância, por medo e por transferência. Se você estiver enfrentando problemas com a agressividade de seu cão, leia sobre todas elas antes de julgar qual ou quais estão afetando o comportamento do animal.

RESUMO

- A agressividade não se manifesta só com inimigos e ladrões.
- Não se deve deixar um cão acorrentado.

- A agressividade é influenciada pelo meio ambiente, raça e genética dos pais.
- São várias as formas de agressividade, e é necessário identificá-las para poder tratá-las.

AGRESSIVIDADE POR DOMINÂNCIA

Se o seu cão rosna ou ameaça mordê-lo quando você pede que ele saia de seu sofá preferido, quando você tenta tirar algum objeto de sua boca ou, ainda, quando está prestes a fazer algo de que ele não goste (dar-lhe banho, por exemplo), ele provavelmente está mostrando agressividade por dominância.

A agressividade por dominância geralmente surge quando há conflitos na hierarquia adotada, segundo o ponto de vista de seu cachorro. Se ele se achar superior no *ranking* hierárquico, não gostará de seguir ordens de pessoas que estão abaixo dele.

Por que meu cachorro ficou assim? Porque você não mostrou liderança. Cachorros não querem igualdade: eles precisam estar acima ou abaixo de nós hierarquicamente. Como não queremos que o ritmo de nossa vida seja condicionado à vontade de nossos cães, devemos nos colocar acima deles, lembrando que não é preciso maltratar o cachorro e muito menos bater nele para conseguir ser o chefe da matilha (leia o capítulo "A matilha"). Outro fator que contribui para esse tipo de agressividade são as brincadeiras, de mão ou de cabo de guerra, que recompensam o cachorro por utilizar sua mordedura e por rosnar.

Você nunca deve machucar seu cachorro, mas assegure-se de que, em qualquer disputa física entre você (ou pessoas que convivem com seu cachorro) e ele, o cão deve fracassar (perder a disputa). Por exemplo, se ao tirar seu cachorro de cima de você ele o morder de leve e você soltá-lo, ele se sentirá recompensado por tê-lo mordido, já que continuará sobre você. Ignore qualquer sinal de agressividade e continue fazendo o que tinha a intenção, seja tirá-lo de cima de você ou alguma outra providência (se você se sentir em perigo agindo assim, contrate um especialista para auxiliá-lo).

Ou, ainda, se ele rosnar quando você chegar perto do prato de ração e você for embora, ele achará que a sua intenção era comer a ração dele, e que ele conseguiu tirá-lo de lá, salvando a própria comida! É importantíssimo que seu cachorro não seja recompensado por ser agressivo. Preste atenção: não saia de lá, mas também não bata nele quando isso acontecer, pois, caso contrário, você estará dando ainda mais motivos para que ele o morda.

Se você fizer qualquer demonstração de agressividade fracassar logo no início, dificilmente seu cachorro tentará dominá-lo usando agressividade.

Atenção: Não se arrisque demais! Você pode reassumir sua posição de liderança aos poucos, evitando possíveis acidentes. Não queira do dia para noite poder tirar impunemente qualquer coisa da boca do seu cachorro ou ainda mexer no prato de ração enquanto ele estiver comendo. Mas certifique-se durante o processo de que ele não esteja sendo recompensado por mostrar agressividade.

É importante explicar que o cão deve fracassar do ponto de vista dele, e não do nosso. Por exemplo, se o cão rosnar quando você for acrescentar algo que ele adora no prato de ração e, ao rosnar, você simplesmente for embora sem colocar, não pense que ele sentiu isso como um fracasso. Para ele, o simples fato de você ter se distanciado foi um sucesso. Também não adianta prendê-lo ou privá-lo de algo por ter rosnado para você. O fracasso deve ser instantâneo. Assim, se ele o morder de leve quando você o estiver tirando do sofá, o simples fato de você tirá-lo, ignorando as

mordidinhas, será considerado um fracasso para ele, que não conseguiu continuar no sofá. Se você não se sentir seguro para agir firmemente, é preferível não agir. Você não deve fracassar na tentativa de tirá-lo do sofá.

A agressividade territorial e a possessiva manifestam-se de forma muito parecida, e muitas vezes são consideradas agressividade por dominância. O controle é exercido da mesma forma, mas preste atenção a esta dica: não dê motivos extras para seu cão se tornar possessivo; toda vez que se aproximar de seu cão quando ele estiver comendo, leve um pouco de ração na mão e despeje-a na vasilha; e quando tirar um objeto da boca do seu cachorro, procure sempre que possível devolvê-lo depois de examiná-lo. Assim seu cachorro terá mais confiança em você e não terá nenhum motivo para ameaçá-lo.

Mostre poder, mas não abuse dele.

E se o seu cão respeita você, mas não respeita as outras pessoas da família e, portanto, as ameaça, ensine-as a liderar seu cachorro sem violência.

RESUMO

- Ganhe todas as disputas físicas.
- Não recompense a agressividade. Cada vez que seu cão a utilizar contra você ou alguém de sua família, faça a tentativa de ele fracassar.
- Não brinque de ficar puxando brinquedos da boca dele e evite brincadeiras agressivas.
- Aplique as leis para se tornar o líder da matilha.
- Mostre dominância, mas não abuse dela. Acrescente mais ração no prato de seu cão; se for possível, devolva os brinquedos após tirá-los dele etc.

AGRESSIVIDADE POR MEDO

Quando você reprime um cachorro usando a força, ou seja, machucando-o ou ameaçando-o fisicamente, existe uma grande chance de ele começar a atacá-lo para se defender.

Filhotes que levaram uns bons tapas podem ficar traumatizados, e, toda vez que sentirem que alguém está para segurá-los ou mesmo acariciá-los, podem morder ou rosnar para se defender.

Cachorros que não foram bem-socializados ou que sofreram algum trauma, principalmente durante a fase mais sensível (leia o capítulo "Desenvolvimento cerebral"), podem se tornar agressivos por medo. Monitore as relações dos outros membros da casa com o cachorro para evitar qualquer agressão física ou algo que cause dor ao animal.

> **Atenção:** Esta forma de agressividade pode gerar acidentes sérios.

Nenhuma punição deve envolver ameaça física ou machucar o cachorro, seja durante o adestramento ou fora dele. A maioria dos acidentes sérios que envolvem um cachorro atacando o próprio dono é causada por essa forma de agressividade. O cachorro, temendo a surra que pode levar, procurará se defender, e o medo pode ser tão grande que ele só vai parar de atacar quando seu adversário não representar mais perigo...

Portanto, um cachorro que ataca por medo deve ser adestrado cuidadosamente para que ganhe confiança e perceba que não corre perigo o tempo todo, e não se comporte de forma a pôr em risco a integridade física das pessoas. Quanto mais socializá-lo, melhor. Procure levá-lo para passear, conhecer outras pessoas e outros animais, sempre tomando o máximo cuidado para que nada o ameace nem lhe cause muito medo.

Os cães podem sentir e perceber quando estamos ansiosos ou com medo, e esse medo pode passar para eles, aumentando as possibilidades de ataque. Portanto, nessas situações, aja com a maior naturalidade possível, mas observe atentamente seu cachorro para que não coloque ninguém em perigo. Deixar a guia tensa ou agachar e segurar o cachorro pode piorar o problema, já que seu cão pode interpretar essas atitudes como sinais de perigo.

Muitos animais sociáveis passam a atacar pessoas ou cachorros pelo simples fato de o medo sentido pelos donos ser transmitido para eles. Aja com naturalidade diante de coisas que seu cachorro considera perigosas.

RESUMO

- Uma das mais perigosas formas de agressividade é aquela provocada pelo medo.
- Não bata em seu cão e não o ameace físicamente, em nenhuma circunstância.
- Socialize o cão cuidadosamente.
- Aja com naturalidade diante de coisas que seu cão considera perigosas.

AGRESSIVIDADE TRANSFERIDA

Quem nunca viu dois cachorros amigos trocarem mordidas quando um terceiro cão passa do lado de fora da cerca? Isso é um exemplo de agressividade transferida. É como se a agressividade transbordasse e atingisse quem está ao lado. Alguns cães mordem a perna de seus proprietários quando tentam e não conseguem atacar outros cães que estão passando na rua.

A melhor forma de lidar com ela é controlar a agressividade do cão em relação aos outros (pessoas ou outros animais). Dessa forma as pessoas ou outros animais que estiverem ao lado do potencial agressor não correrão risco.

Algumas brigas entre cães começam por causa de mordidas ocasionadas por agressividade transferida.

RESUMO

- Cães podem morder algo que está ao lado se não conseguirem atingir seu alvo.
- Brigas e acidentes feios podem ocorrer por causa desse comportamento
- Controle a agressividade de modo geral e a agressividade transferida deixará de ocorrer.

OUTRAS CAUSAS PARA A AGRESSIVIDADE

Existem ainda outras causas para a agressividade. Mudanças repentinas no teor da agressividade de seu cão podem significar problemas físicos ou neurológicos. Uma dor intensa pode tornar seu cão bem mais agressivo.

A agressividade natural não surge de uma hora para outra: ela vai aumentando gradativamente. Se o seu cachorro tornar-se agressivo do dia para noite, ou morder alguém sem nunca ter demonstrado agressividade, você deve consultar um veterinário imediatamente, pois seu cão pode estar tendo problemas físicos ou neurológicos (hipoglicemia, por exemplo) e deve ser tratado imediatamente. Casos de problemas neurológicos são raros, mas, devido à gravidade que apresentam, devemos ficar sempre atentos.

RESUMO

- Não é normal a ocorrência de evolução brusca na agressividade dos cães. Caso isso ocorra, consulte imediatamente um veterinário.

BRIGAS ENTRE CACHORROS DESCONHECIDOS

Brigas entre cachorros podem resultar em desastres. Você pode se machucar seriamente ao tentar separar uma briga. Portanto, lembre-se de que é melhor prevenir para que a situação não se concretize. Vamos descrever aqui as técnicas utilizadas para evitar brigas entre cachorros e, quando isso não for possível, recorra às dicas de como separá-los, sem se esquecer de que, nesse caso, você poderá correr riscos.

A prevenção é sempre a melhor atitude. Portanto, se você tem um filhote, socialize-o cuidadosamente com cães amistosos e com pessoas e barulhos em geral. Existem idades que são ideais para socializar o cão e há outras em que devemos tomar o máximo cuidado com traumas. Se o filhote apanhar de outro cão na fase propícia a traumas, poderá ficar permanentemente agressivo com outros cachorros (leia o capítulo sobre desenvolvimento cerebral).

Cães antissociais, que ameaçam permanentemente outros cachorros, podem tornar superdesagradável uma viagem ou um passeio. Daí a importância da socialização bem-orientada e das associações estabelecidas corretamente.

Cães bem-socializados não brigam com cachorros amistosos durante um passeio. Se o seu cachorro costuma ameaçar qualquer outro cão que encontre pela frente, você deve socializá-lo e corrigir seu comportamento.

A fase mais crítica para cães naturalmente dominantes é a puberdade, quando alguns animais ficam superagressivos com os demais. Machos

castrados normalmente são menos agressivos, portanto, considere essa opção. Mesmo que seu cão já seja adulto, a castração pode diminuir muito a chance de brigas com outros cães machos.

A primeira coisa a que você deve prestar atenção ao passear com seu cão é sua própria atitude quando percebe outro cachorro. A maneira como você reage influencia muito o comportamento de seu cão; se você sentir medo – seja um sentimento de pavor ou um leve receio – ou tomar alguma precaução excessiva, isso pode ser interpretado como sinal de perigo, e seu cão ficará cada vez mais agressivo na presença de outros cães. Não demonstre jamais que você está se preparando para agarrar ou puxar a guia, e também não deixe a guia tensa ao passar por outro cachorro. A guia tensa pode ser, e geralmente é, interpretada por seu cachorro como sinal de perigo. Disfarce sua ansiedade ao máximo e tente realmente ficar calmo, pois os cães captam com muita facilidade nosso estado de espírito, e às vezes fica difícil enganá-los. Mas fique pronto para repreender firmemente qualquer comportamento agressivo.

Procure fazer seu cachorro ter associações positivas na presença de outros cachorros. Assim que ele avistar um cão, ou quando você fizer isso, mostre-lhe seu brinquedo preferido e convide-o para brincar, distraia-o, agindo de tal maneira que o outro animal passe praticamente despercebido. Logo ele associará a presença de outro cachorro com brincadeiras e olhará para você esperando receber um petisco ou um brinquedo.

Devemos ter o cuidado de não recompensá-lo quando ele mostrar agressividade. É extremamente importante atrair sua atenção no exato momento em que avistar o outro e antes que mostre qualquer sinal de agressividade. Caso não dê tempo, não o recompense e repreenda-o de maneira que a agressividade cesse imediatamente.

Quanto mais socializado for seu cão, mais fácil será o treinamento, portanto, deixe-o ficar junto de outros cães que ele já conheça e com os quais não brigue. Treinamento em grupo também é uma forma de fazer seu cão aprender a tolerar outros cachorros. Encontrar apenas um cachorro pode deixar seu animal agressivo, pois toda

sua ansiedade se direcionará para um alvo só, enquanto a companhia de vários cachorros ao mesmo tempo pode ser uma ótima maneira de socializar seu cão. Faça o teste.

Sempre é possível melhorar a sociabilização. Se você puder contar com a colaboração do dono de outro cachorro, existe um exercício que, feito corretamente, vai ajudá-lo a resolver o problema. O exercício consiste em mostrar ao seu cão que aproximar-se de outro não quer dizer disputa. O exercício deve ser feito de maneira que imite dois cachorros amigáveis se encontrando.

Primeiramente é preciso diminuir a tensão entre eles, procurando fazer os cães andarem lado a lado (ambos na guia). Devem ficar cada vez mais próximos conforme a tensão for diminuindo, mas certifique-se de que mantenham uma distância suficiente para que não se mordam. Dando início ao segundo passo, vá aproximando-os, sempre mostrando autoridade e impedindo-os de tencionar a guia. Seja firme e não tolere nenhum comportamento agressivo, não devem nem poder se encarar. Se isso ocorrer, puna o comportamento agressivo, indo para o lado oposto, de maneira que ele leve um tranco e, ao mesmo tempo, esguiche água com o borrifador ou utilize outra bronca que ele respeite.

O terceiro passo consiste em segurar um deles e deixar o outro cheirar o traseiro do que está sendo segurado, e depois inverter a situação. O que está sendo cheirado deve ser recompensado para associar o ato com algo agradável.

Esse processo demanda paciência e habilidade. Caso você não tenha experiência suficiente, contrate um especialista, pois você pode piorar o problema se corrigir os cães na hora errada.

RESUMO

- Separar brigas é perigoso; é melhor saber como preveni-las.
- Seu cão não deve se mostrar agressivo com outros cães mansos durante os passeios.
- Socialize seu filhote com cães amistosos, pessoas e ruídos.
- A fase da puberdade de seu cão é a mais crítica com relação a brigas.

- Não se mostre amedrontado nem tensione a guia ao passar por outros cachorros, para que seu cão não os relacione com perigo. Ignore-os e continue andando.
- Procure fazer seu cão associar a presença de outros cães com recompensas e divertimentos.
- Seja muito cauteloso ao apresentar dois cães agressivos. Faça-os andar lado a lado, primeiramente, para depois começar a aproximá-los.

BRIGAS ENTRE CACHORROS DA MESMA CASA

Se você já tem um cão e pretende adquirir outro, escolha com cuidado, pois ter dois cães que brigam e se ameaçam na mesma casa não é nada agradável, além de ser perigoso tentar separá-los durante a briga. Diferentemente do que muitas pessoas acreditam, essas brigas podem ser fatais, principalmente quando ocorrem entre duas fêmeas.

Se você tiver que trazer um cachorro novo para sua casa, faça o veterano e o recém-chegado se conhecerem em território neutro, bem longe de sua casa ou do local que seu cachorro costuma andar, e só os leve juntos para sua casa depois que já estiverem se tratando amigavelmente (sem sinais de agressividade). Se você tiver a possibilidade de associar o cheiro do calouro a coisas agradáveis ao veterano a chance de eles se aceitarem serão bem maiores. Para isso, você pode, por exemplo, colocar um pano com o cheiro do calouro na cama do veterano ou perto da vasilha de ração dele.

Devemos lembrar de alguns cuidados e dicas ao escolher um companheiro para nosso cão. Mas, antes, precisamos entender por que eles brigam.

Normalmente os cães brigam para disputar algum espaço, objeto, animal ou pessoa. Também podem brigar quando se sentem ameaçados ou contrariados por um cão hierarquicamente inferior.

A maior parte das brigas ocorre na presença dos donos. Isso porque os cães tornam-se mais competitivos e corajosos quando há mais pessoas ou cães em sua matilha. Também podem brigar para disputar a atenção dos donos ou de alguém muito querido.

Momentos de excitação também podem desencadear agressões, por exemplo, quando brincamos de bola, propomos brincadeiras agressivas ou ainda ao levá-los para passear.

Outro momento propício para conflitos é quando um membro do grupo volta, após ter se separado por algum tempo. Se voltar na presença de alguém que não tenha controle dos cães, ainda é pior.

Animais de ambos os sexos brigam, só que por motivos diferentes. Os machos brigam com mais frequência, mas normalmente com o intuito de estabelecer a hierarquia, ou seja, assim que o outro cachorro mostra sinais de submissão, o ataque costuma cessar. As fêmeas brigam menos, mas com a diferença de que o objetivo delas pode ser a eliminação da rival! Machos, muitas vezes, toleram mordidas e ameaças de fêmeas, mesmo inferiores a eles na hierarquia geral.

> **Atenção: Devemos ter cuidado especial com algumas raças que foram selecionadas para matar seu oponente. É o caso do pitt bull terrier, sharpei, akita etc., mas, mesmo animais dessas raças, quando bem-adestrados, podem conviver pacificamente com outros cães.**

O ideal seria que a hierarquia entre eles fosse bem-definida. Isso ocorre mais facilmente se os cães tiverem força ou comportamento totalmente diferentes. Por exemplo, o caso de convivência entre um dog alemão e um bichon, dois animais que dificilmente iriam se enfrentar para estabelecer quem é o dominante. Esse é um exemplo extremo, mas diferenças significantes na força ou no tamanho dos cachorros ajudam a facilitar a estabilidade.

Quanto mais aspectos diferentes houver entre os cães, menores serão as chances de eles brigarem. Os itens importantes para serem levados em conta são: idade, sexo e temperamento. Cães de sexo, idade ou temperamento diferentes têm menos chances de brigar. Se você tem um macho adulto dominante, escolha um filhote que seja uma fêmea submissa.

Independentemente de sua escolha, você pode se surpreender, pois não é impossível que seu boxer domine seu são-bernardo.

Como as brigas piores e mais graves acontecem na presença dos proprietários, é fundamental que estes assumam uma posição de liderança e controle total, com o reforço de bons comportamentos, treino dos comandos principalmente relacionados a obediência e muita firmeza em relação aos comportamentos que não serão tolerados. Um dos comportamentos que não devem ser tolerados é o de rosnar um para o outro.

Além de sermos firmes em relação aos limites que devemos impor aos cães que possam brigar, devemos procurar aproximá-los afetivamente. Quanto mais relações positivas um tiver com o outro, menores serão as chances de ocorrer disputas perigosas.

Um dos sentidos mais utilizados pelos nossos cães é o faro, portanto, vamos nos aproveitar disso para induzi-los a gostar um do outro através do cheiro. Pegue duas toalhas e esfregue-as em um dos cachorros; em seguida coloque-as dentro da casinha (ou no lugar preferido) e perto do prato de comida do outro cão, e vice-versa. Dessa maneira, os cães associarão o cheiro do companheiro com sobrevivência (comida), diversão e relaxamento. Fácil, não é?

Quanto mais positivas forem as associações entre os dois, melhor. Geralmente os próprios donos pioram muito a relação entre os cães, fazendo-os associar a presença um do outro

com coisas negativas. Por exemplo, o Rex pode estar recebendo carinho até o momento em que o outro cão chega, aí o dono passa a ignorá-lo e acaricia o recém-chegado. Rex se aborrece e pede carinho, o dono ignora-o ou abandona os dois para evitar um conflito. Já dá para perceber quais as associações que Rex faz em relação ao outro cachorro. Primeiramente, o dono para de lhe dar atenção; depois, dá atenção ao outro; e, por último, abandona os dois. Se o Rex, depois de ter feito todas essas associações negativas, ainda gostar do outro, deve ser um animal com sérios problemas psicológicos!

No caso do Rex, a solução é aumentar a intensidade do carinho feito nele quando o outro se aproxima e, se possível, recompensá-lo com algum petisco. Logo, Rex considerará a aproximação do outro cachorro um acontecimento positivo. Não é necessário ignorar o outro cão conforme ele for se aproximando; diga o nome do outro, calma e alegremente, mas não diminua a atenção dada ao Rex que, além de passar a gostar da aproximação do outro, associará positivamente o nome dele, já que, ao escutá-lo, estava recebendo carinho e atenção do seu dono. Assim que os dois se aproximarem sem que haja nenhum conflito, procure fazer carinho em ambos; caso um deles vá embora, diminua a intensidade de carinho no que ficar ou pare completamente. Você reforçará dessa maneira a ideia de que a presença do outro é uma ótima forma de ganhar carinho e atenção.

Levar os cães para correr juntos é outra maneira de diminuir a ansiedade e a tensão entre eles. Ambos ficarão cansados e relaxarão ao mesmo tempo, o que é ótimo.

Além da aplicação dessas técnicas, evite deixar brinquedos, ossos, ou qualquer coisa que possa iniciar uma disputa ou aumentar a tensão entre os cães. Depois de alimentá-los, retire o prato de ração, mesmo se houver sobras, e impeça que um cachorro se acostume a roubar a comida do outro. Deve haver uma distância suficiente entre as vasilhas de ração dos cães para evitar qualquer sinal de agressividade.

> **Atenção:** Lembre-se de que você e sua família estão permanentemente dando exemplo. Os moradores da casa devem evitar algumas práticas que geram associações negativas entre os dois cães.
>
> Nunca relacione qualquer punição ou bronca com o nome de um de seus cachorros. Por exemplo: "Rex, não, pare!". Cães aprendem por imitação e podem querer imitá-lo, punindo o outro cão, principalmente se associarem o nome do outro à punição. Não incluir o nome do cachorro nas punições ajudará não somente a impedir brigas como facilitará muito o adestramento. Faça um esforço e diga somente: "Não, pare!" (olhando para o cachorro culpado).

Se você encontrar grande dificuldade em aplicar essas técnicas devido à agressividade entre seus cães, considere a possibilidade de mantê-los separados, solicite a ajuda de um adestrador ou peça ao seu veterinário informações sobre medicamentos que diminuem a agressividade, auxiliando no treinamento. Não dependa somente da droga — aproveite a situação menos tensa e ponha em prática as técnicas descritas.

Como já foi dito, a castração pode reduzir bastante as brigas, principalmente se tratando de machos. As fêmeas castradas também não entram no cio, momento propício para o início de conflitos. Por isso, a castração costuma ser a primeira medida recomendada por médicos veterinários e especialistas em comportamento.

RESUMO

- Escolha cães de temperamento, sexo e idade diferentes para conviverem juntos.
- Apresente os novos membros da matilha ao seu cão em território neutro, isto é, longe da sua casa e dos lugares em que seu cão costuma caminhar.

- O proprietário deve exercer liderança total e consistente em relação a todos os cães.
- Relacione a presença do outro cachorro com coisas boas. Coloque um pano impregnado com o cheiro de um na casa do outro e embaixo da vasilha de comida; dê um petisco ao cão que já está próximo de você quando o outro se aproximar e não pare de fazer carinho no primeiro logo que o segundo chegar; leve-os para correr juntos.
- Não deixe brinquedos ou ossos espalhados no quintal nem sobras de ração nas vasilhas. Alimente-os com uma distância suficiente para impedir que um cachorro roube a comida do outro, evitando atritos.
- Evite mencionar o nome dos cães ao puni-los. Você pode ser imitado por um dos cães, que o "ajudará" a punir o que foi nomeado.
- Castração deve ser considerada.
- Os medicamentos podem auxiliar casos extremos e perigosos de agressividade, mas não limite-se a eles.

SEPARAR BRIGAS

Você encontrará aqui algumas dicas de como separar brigas, mas não se esqueça de que qualquer intervenção pessoal pode resultar em ferimentos sérios.

As técnicas descritas são simples, mas é necessário muito treino para conseguir aplicá-las. Treine os movimentos e as atitudes que deve tomar com cachorros brincando ou, ainda, com almofadas ou animais de pelúcia que lembrem cachorros. Na hora da briga, é bom que você não cometa nenhum erro!

A primeira coisa que se deve evitar é gritar, principalmente se um dos cães for seu, pois ele achará que você está em perigo ou estimulando-o a brigar ainda mais. Esse conselho é útil, mas poucas pessoas conseguem pô-lo em

prática, pois o pânico é tanto que quase todo mundo berra. Bater nos cães também pode piorar a briga, seria como jogar mais lenha na fogueira.

O que se deve fazer é jogar algo entre eles ou na direção deles, que não os machuque, mas que seja grande e barulhento, para tirar-lhes a concentração da briga. Uma ferramenta ótima e segura para separar brigas é um jato de ar comprimido de um cilindro de CO_2. O jato gelado, forte e barulhento, quase sempre é suficiente para assustar os cães e a briga normalmente cessa. Por isso, recomendamos que pessoas que tenham cães que possam brigar mantenham sempre um cilindro de CO_2 por perto, pronto para ser utilizado.

Se nada disso for suficiente para interromper o confronto entre eles, existe outra técnica, um tanto perigosa, que consiste em agarrar o rabo dos briguentos (é preferível que haja duas pessoas tentando separar os cães) ou, pelo menos, do cão agressor, levantar as patas de trás do chão e sair andando em círculos com ele, ou para trás, evitando assim que ele consiga mordê-lo. Ao levantar as patas de trás de um cachorro você tira dele a tração para o ataque e dificulta-lhe a respiração, portanto o cão, além de ser obrigado a se concentrar para não cair com o focinho no chão, terá que soltar o adversário para conseguir respirar direito. Não puxar de uma vez, pois a tração pode causar ferimentos mais sérios no cão que está entre os dentes do outro (lacerações em pele e músculos, no mínimo).

Quanto mais longe você se mantiver da boca dos cães, melhor. Justamente por isso é que fica mais difícil separar cães sem rabo, que só podem ser agarrados pelas pernas, numa manobra que exige todo o cuidado. Cães separados de uma briga podem transferir a agressividade para a primeira coisa (viva ou não) que estiver ao lado, por isso, boa sorte! Mas espero que você e seus cães não participem desse tipo de situação.

RESUMO

- Nenhuma técnica é realmente segura.
- Gritar para tentar separá-los é uma péssima técnica, principalmente se você for o dono do agressor.
- Jogue coisas grandes e barulhentas na direção deles, com o intuito de desviar-lhes da briga, e não de feri-los.

- O barulho de um jato de ar forte como o de um cilindro de CO_2 pode ser uma forma eficiente para encerrar brigas entre dois ou mais cães.
- Como última alternativa, agarre o cão pelo rabo, levante as patas traseiras dele e faça-o andar em círculos ou para trás. Procure utilizar essa técnica com a ajuda de uma segunda pessoa, para que ela proceda da mesma forma com o outro cão.

LATIR EM DEMASIA

Além de prejudicar a paz dos vizinhos e a nossa, cães que latem em excesso podem estar incomodados fisicamente ou psicologicamente. Cães solitários ou mimados demais são muito mais propensos a desenvolverem tal problema.

Um cão que late compulsivamente pode irritar os vizinhos de tal maneira que, não encontrando outros meios para se livrar do problema, poderão, criminosamente, tentar envenenar o animal.

LATIDOS PODEM SER ÚTEIS

Devemos lembrar que o problema só existe quando o cão late em excesso. Se ele latir quando um ladrão estiver invadindo sua casa, se o gás estiver vazando ou, ainda, se sua casa estiver pegando fogo, isso certamente poderá significar a preservação de sua vida!

Portanto, devemos apenas controlar os latidos de nosso cão, não extinguí-los.

ELIMINE AS CAUSAS DO COMPORTAMENTO

A metodologia correta para se modificar um comportamento é primeiramente entender por que ele acontece, para podermos eliminar as causas e, aí sim, controlar o problema, caso ele não desapareça sozinho. Se a causa do problema não for resolvida, ocorrerá a transferência, ou seja, ao controlarmos um problema, surgirá um novo. Imagine que seu cão late por estar ansioso, então você o reprime e ele para de latir, mas começa a cavar o jardim, e assim por diante.

Motivos que possam estar levando seu cão a latir em excesso:

- proteção (da propriedade, de sua ninhada etc.);
- provocação por parte de pessoas que estejam fora de sua propriedade;
- isolamento;
- alívio de estresse (o que acaba por piorá-lo);
- medo;
- brincadeira;
- fome, sede ou algum outro desconforto;
- desejo de chamar a atenção;
- compulsão.

Identificada a causa, ou as causas, tente eliminá-las. Muitas vezes a causa que leva seu cão a latir é a recompensa que se segue ao latido. Antes de tentar avaliar qual é o problema que perturba seu cão, certifique-se de que ele está saudável (leve-o ao veterinário), bem-alimentado e fazendo exercícios pelo menos três vezes por semana.

Todo cão para ser saudável necessita, além de uma boa alimentação e exercícios, acesso a algum tipo de convívio. Cães são animais sociais que necessitam de companhia: caso fiquem trancados ou afastados da família por muito tempo, certamente terão problemas.

NÃO ENSINE O QUE VOCÊ NÃO QUER QUE ELE FAÇA

Muitos donos, sem perceber, ensinam o cão a latir demasiadamente ao recompensá-lo por ter latido. Vamos imaginar que, toda vez que seu cão latir, para acalmá-lo, você faça um carinho nele ou lhe dê um biscoito.

Esse cão vai latir sempre que quiser atenção e, consequentemente, quando você não estiver em casa, vai ficar latindo!

Nesse caso, ignore o cão toda vez que ele latir para pedir alguma coisa e, caso for lhe dar algo e ele latir, ignore-o e vá fazer outra coisa. Como dissemos anteriormente, o fracasso é uma das melhores punições. Mas esteja ciente de que, antes de parar de latir, o comportamento dele pode piorar e aumentar de intensidade. Se você não aguentar a piora e novamente lhe der atenção (em forma de distração ou bronca), tudo terá ido por água abaixo e você terá ensinado ao seu cão que ele deverá persistir no latido, pois, em algum momento, você o atende.

Muitas vezes, nossos próprios vizinhos acabam estimulando nosso cão a latir em excesso, provocando-o ou, com a melhor das intenções, acalmando-o (dando-lhe atenção). Pessoas que moram perto de colégios também devem tomar o cuidado de afastar o cachorro de perto do portão na hora em que as crianças saem, pois há sempre a possibilidade de elas ficarem provocando o cão e, consequentemente, incentivando-o a latir.

Famílias que berram muito também costumam ter cachorros que latem muito, pois, como já foi dito, uma das maneiras pelas quais os cachorros aprendem é por imitação. Esse também é um dos motivos pelos quais não se recomenda gritar a ordem para que o cão pare de latir, pois ele pode achar que é assim que as coisas funcionam e ficará ainda mais estimulado a latir.

PUNIÇÃO DESPERSONALIZADA PARA EVITAR LATIDOS

Uma vez removida ou afastada a causa do problema, caso ele não pare naturalmente de latir, devemos puni-lo cada vez que ele o fizer. As punições podem ser despersonalizadas (leia em "Técnicas de adestramento"), isto é, pode-se corrigi-lo sem que ele associe que é você que o está fazendo. Caso contrário ele poderá deixar de latir somente quando você estiver por perto. Broncas mal dadas também podem dar a atenção que o cão estava buscando e, assim que se sentir sozinho novamente, repetirá o comportamento.

Jogar água ou algum objeto que assuste o cachorro (desde que ele não o veja) é uma boa maneira de despersonalizar a punição.

Atenção: Não assuste cães medrosos e também não puna animais que sofrem de ansiedade de separação, pois esses cães já têm medo de ficar separados de seus donos. Portanto, mais sustos poderão piorar ainda mais a situação.

BOA VIZINHANÇA

É sempre bom informar nossos vizinhos de que estamos nos esforçando para solucionar o problema. Muitas vezes eles podem nos ajudar a resolver a situação ou até nos informar das causas dos latidos. Caso eles não nos possam ajudar de maneira alguma, só de saber que estamos nos preocupando, com certeza ficarão um pouco menos furiosos conosco e com nosso cachorro.

COLEIRAS ANTILATIDOS

Caso você não possa puni-lo da maneira adequada – sem machucá-lo e de maneira despersonalizada –, resta ainda uma opção, que é muito eficiente se utilizada corretamente. São as coleiras antilatidos.

No início, as primeiras coleiras fabricadas pareciam destinadas apenas aos sádicos. Eram coleiras que puniam o cachorro toda vez que ele latia, com a característica de serem ativadas por som. Assim, os cães eram punidos toda vez que passava um avião, quando outros cachorros latiam ou ao som de qualquer ruído alto. Esse tipo de coleira, felizmente, parou de ser comercializado. As coleiras antilatidos atuais são seguras e somente são ativadas se o cachorro que a estiver usando latir.

Como elas punem o cachorro apenas quando ele late e no exato momento em que ele late, dificilmente existirá um método mais fácil e mais eficiente de controlar os latidos de seu cão.

Como essas coleiras punem seu cão? De maneira não dolorosa, mas desconfortável. Pode ser por meio de estímulos elétricos, vibrações ou mesmo um sopro de ar.

Atenção: Evite usar essas coleiras em cães medrosos ou inseguros. Cães que sofrem de ansiedade de separação também não devem utilizá-las quando são deixados sozinhos.

RESUMO

- Latidos em excesso podem indicar que seu cão não esteja bem.
- Os latidos devem ser controlados sempre que possível, e não extintos.
- Se inibirmos simplesmente sem eliminarmos as causas, haverá uma transferência de comportamento e o problema poderá se manifestar de outra forma. Alguns cães podem passar a se mutilar, por exemplo.
- Investigue a causa ou a recompensa que estimula seu cão a latir e tente eliminá-la.
- Aplique punições despersonalizadas para latidos excessivos, isto é, não deixe óbvio para seu cão que foi você quem as aplicou.
- Acostume seu cão com sons, animais e objetos que o façam latir, e recompense-o quando ele não o fizer.
- Não puna seu cão se ele estiver sofrendo de ansiedade de separação. O medo dele de ficar sozinho pode aumentar.

- Ofereça-lhe carinho, atenção e petiscos quando estiver calmo e silencioso.
- Não caia na tentação de dar algo que seu cão quer com a intenção de fazê-lo parar de latir. Ignore-o nesse caso, pois do contrário o problema só irá aumentar.

PROBLEMAS DO CÃO EM RELAÇÃO ÀS PESSOAS

NESTE CAPÍTULO VOCÊ VAI APRENDER:

- por que o cão apresenta problemas durante sua ausência;
- por que ele chora à noite;
- a impedir que o cão pule em você e em seus convidados;
- como impedi-lo de morder as pessoas como forma de brincar;
- o que fazer quando ele tentar copular com pessoas ou outros cães;
- como agir quando o cão estiver enciumado.

PROBLEMAS DE COMPORTAMENTO QUANDO VOCÊ NÃO ESTÁ EM CASA

Muitos cães destroem a casa, arranham a porta ou latem sem parar quando não estamos em casa. Isso geralmente ocorre porque ficam ansiosos e desesperados e, às vezes, entediados. A melhor maneira de lidar com esse problema é controlar a ansiedade e criar atividades para que ele fique entretido.

O que deve ser feito é muito simples: ao chegar em casa e quando for sair, não faça festa para seu cão nem se mostre muito ansioso. Além disso, jamais dê bronca ao chegar e encontrar sua casa bagunçada ou algum objeto danificado. Passados alguns minutos e seu cão tendo se acalmado, agrade-o e lhe dê atenção.

Apesar de parecer simples, a maioria dos proprietários de cães que sofrem de ansiedade de separação sofrem do mesmo mal e acabam "contaminando" seu cão com esse comportamento. Por isso, trabalhar a própria ansiedade em se separar do cão é primordial no treinamento. Esses momentos em que se deve ignorar o cão, na chegada e na saída, devem ser os mais naturais possíveis, pois não adianta chegar tenso com a ideia de que não poderá atender ao desespero de seu cão, de uma forma quase robótica, e contar os segundos para poder acariciá-lo. É sugerido até que o proprietário encontre uma atividade para ocupar a mente nos momentos de chegada e saída, para que flua mais naturalmente. Entrar em casa e ir guardar a bolsa, tirar os sapatos, tomar água e só depois olhar para o cão, colocar comida para ele longe da bagunça que ele armou para que ele não o veja arrumando tudo são técnicas que costumam ser eficientes.

Existem muitos motivos para o cão destruir a casa na sua ausência, mas, independentemente da causa, evitar muita excitação na chegada ou na saída manterá seu cão mais equilibrado e mais calmo. E ficar bravo com ele por ter encontrado alguma coisa destruída é totalmente inútil, pois o cão não relacionará a bronca com o que fez, mas ligará a bronca com a confusão reinante à sua chegada ou à sua expressão de susto ou de raiva, o que contribuirá para aumentar a ansiedade dele e tornar o problema cada vez mais grave.

OS CÃES TÊM IMAGINAÇÃO E CRIAM DELÍRIOS

Mas... por que eles se comportam assim? Qual é o sentido de tudo isso?

Os cachorros são capazes de imaginar sons, imagens e cheiros de uma forma muito semelhante à nossa. Um cientista russo, chamado Rusinov, descobriu isso em 1973, ao estudar a eletrofisiologia cerebral dos cães. Ele percebeu que os cães imaginam coisas praticamente da mesma maneira que nós.

Quando você sai de casa e seu cão o espera ansiosamente, começa a imaginar você chegando, pois é tudo o que ele quer. Se você não chega, estabelece-se um conflito de imaginação, e ele começa a ficar ansioso. O que ele imagina vai se tornando cada vez mais real: ele passa a imaginar você brincando com ele e com os travesseiros, correndo pela casa, ou mesmo visualiza sua imagem lendo uma revista etc. Como você não está lá, seu cão começa a interagir com as coisas que o simbolizam. O problema é que essa interação costuma ser um tanto destrutiva e, ao chegar em casa, o problema aumenta quando você o saúda com uma boa bronca. A tensão com que seu cachorro o aguardará da próxima vez será maior, pois à ansiedade da espera irá se somar a preocupação por não saber se vai apanhar ou receber a maior festa!

CÃES MIMADOS SOFREM MAIS

Agora que você já tem a explicação detalhada do que pode estar ocorrendo, aprenda qual é a melhor maneira de evitar esse problema e contribuir para o bem-estar do seu cão quando estiver fora.

Cães que ficam extremamente ansiosos quando seu dono sai de casa geralmente são animais "mimados", que sempre conseguem o que querem do dono sem muito esforço. Eles se enxergam como líderes da matilha. Esse tipo de cão geralmente late quando quer sair de casa, e o dono imediatamente abre a porta; reclama quando quer comer, e o dono lhe dá comida; quando quer carinho, esfrega o focinho na mão do dono que, na mesma hora, o acaricia; quando o dono vai de um recinto ao outro da casa, o cão corre na frente e o segue muito próximo. Ou seja, tudo o que ele quer é feito. Mas quando o dono sai de casa contra a vontade do cachorro, este fica realmente ansioso, e os problemas provocados por isso começam a acontecer: late em demasia, destrói a casa, automutila-se, urina em volta da casa, saliva em excesso etc.

O problema do "chefe da matilha" pode ser resolvido apresentando uma realidade nova para ele. Lembre-se: sempre que ele quiser algo, ou você quiser dar alguma coisa a ele, peça que obedeça algum comando (como "senta" ou "deita"), e aí você lhe dá o que ele pediu. Se o cachorro se recusar a obedecê-lo, simplesmente ignore-o e vá fazer outra coisa. Depois de alguns dias seu cachorro compreenderá que ele não é o chefe e que precisa obedecer limites para conseguir as coisas, e não mandar no seu proprietário (leia o capítulo "A matilha", para entender melhor). Quando seu cachorro correr à sua frente pela casa, engane-o: finja que vai para um lado e vá para outro, até que ele pare de correr na frente.

Há um conjunto de cuidados que ajuda a evitar a inquietação canina diante da solidão. O importante é habituar o cão a não nos seguir o tempo todo. Assim, quando a separação for necessária, nossa ausência será mais facilmente aceita por ele. Para promover alguma independência, devemos evitar chamar o cão sempre que ele estiver fora de nossa vista e o estimular a ficar sozinho. Por exemplo, anime-o a explorar novidades e não satisfaça os desejos dele o tempo todo. Dar carinho e atenção sempre que o cão pedir o torna mais sujeito à ansiedade de separação quando for deixado sozinho. É como acontece com as crianças mimadas. Isso não quer dizer que você não deva dar atenção e carinho ao cão. Simplesmente ignore alguns pedidos de carinho. Acostume-o a pequenas frustrações. Por exemplo, deixe-o do lado de fora do banheiro enquanto você faz as suas necessidades ou toma um banho.

Treine o cão. Saia deixando-o sozinho e volte enquanto ele ainda estiver calmo, sem fazê-lo sentir-se inquieto. Gradativamente, aumente os períodos de solidão. Praticar o comando "fica" é muito importante para o sucesso desse treino.

Lembre-se de que estamos lidando com a memória do seu cachorro, com a imaginação dele, portanto não espere muitos resultados logo na primeira vez. Aos poucos a nova rotina diminuirá a ansiedade de separação e seu cão aprenderá a ser mais independente.

OUTRAS MANEIRAS DE DIMINUIR A ANSIEDADE

Exercite o cão periodicamente e deixe um rádio ou televisão ligada próximo a ele na sua ausência. Permita que ele tenha contato com algo que lembre você e tenha seu cheiro — deixe uma peça de roupa usada na caminha dele, por exemplo, ou passe a manipular bastante um brinquedo que poderá ser deixado com ele quando você for sair. Para ocupar o tempo que ele passa sozinho, crie atividades, como não alimentá-lo no pote de ração e sim num brinquedo que libera comida quando manipulado (o cão primeiramente deve ser ensinado a usar tal brinquedo), aumentando o tempo que ele levará para se alimentar. Esconder petiscos pela casa também é algo interessante. De qualquer forma, seu cão deve ser mantido no peso ideal para que se interesse pelos brinquedos e não se ocupe em apenas esperá-lo. Cães acima do peso ficam ociosos e mais predispostos a esse tipo de problema.

RESUMO

- Para diminuir a ansiedade de seu cão, ignore-o durante alguns minutos antes de sair de casa e alguns minutos após retornar.
- Não permita que seu cão seja o líder da matilha.
- Habitue seu cão a não lhe seguir o tempo todo. Faça o treino do "fica".
- Nunca dê bronca em seu cão nem demonstre estar zangado com ele ao chegar em casa e encontrar algo destruído.
- Deixe seu cão esperá-lo em um local que lembre sua presença, isto é, onde ele sinta o seu cheiro e, de preferência, deixe a TV ou o rádio ligado. Caso não seja possível, deixe uma camiseta sua, velha e usada, na casinha dele ou na caixa de transporte.
- Nunca use punições despersonalizadas nesse caso.
- Mantenha o cão no peso ideal e ocupe-o com atividades que envolvam busca e alimentação.

CHORAR À NOITE

É um problema que geralmente ocorre com filhotes, mas, em alguns casos, também aparece em cães adultos traumatizados, ansiosos ou "mimados".

Os cães choram por diversos motivos. Por meio do choro eles demonstram que algo não está de acordo com a vontade deles, que estão sentindo fome, sede, sofrendo por se sentirem isolados ou por dor. Embora existam inúmeros motivos que podem levar seu cão a chorar durante a noite, o mais provável é que ele esteja se sentindo solitário. Cães são animais sociais que dependem do grupo para poder sobreviver, por isso, até que se acostumem, ficam ansiosos e assustados quando se sentem abandonados.

É óbvio que não podemos ficar com o cão o tempo todo, por isso, devemos acostumá-lo a não se sentir abandonado desde filhote.

CONFORTE O ANIMAL

A primeira medida que se deve tomar é confortar o animal no ambiente em que ele ficará sozinho. Qualquer coisa que lembre o grupo dele ou que permita que ele se distraia auxilia a reduzir a ansiedade de seu cão.

Se você está trazendo um filhote para sua casa, procure trazer do local em que o filhote vivia panos com cheiro da ninhada, brinquedos e outras coisas que lembrem seu grupo e coloque-as onde seu cão irá passar a noite. Deixar um rádio ligado próximo ao filhote também colabora para que ele não se sinta sozinho.

Procure brincar com ele no lugar em que ficará confinado, para que o local lembre a sua presença e para que não seja completamente novo para seu filhote.

Os cães ficam muito ansiosos ao se sentirem abandonados, pois, além de quererem interação, não sabem se foram realmente esquecidos ou, ainda, por quanto tempo ficarão ali. Como você não tem meios para informar ao seu cão por quanto tempo ele ficará lá, pelo menos lhe mostre que você não se esquecerá dele e que irá buscá-lo depois de algum tempo. Como fazer isso? Confine o animal no local em que ele passará a noite somente por alguns minutos, volte e fique um tempo com ele. Faça isso algumas vezes, aumentando o tempo gradativamente, assim ele saberá que você sempre volta, embora não saiba quando, o que o deixará muito mais tranquilo.

Se possível, leve-o para dormir com você nas primeiras noites. Assim, quando ele tiver que ir dormir sozinho, já estará mais acostumado com a casa, com os cheiros e, principalmente, com o treino de ficar sozinho por períodos maiores.

A ANSIEDADE É O PROBLEMA

Alguns cuidados deverão ser tomados ao condicionar seu cão a ficar socialmente privado. Sempre que você chegar, não o saúde com entusiasmo, procure ignorá-lo por algum tempo, até que ele se acalme, e aí, então, dê-lhe

atenção e divertimento. Antes de sair e deixá-lo no local, procure ignorá-lo por alguns minutos para depois sair. Você deve seguir esse procedimento para evitar que a ansiedade de separação aumente ainda mais.

Exercitar fisicamente seu cão antes de levá-lo para passar a noite sozinho também ajuda a reduzir a ansiedade dele.

Atenção: Não volte quando seu cão estiver chorando ou latindo, pois ele logo perceberá que latir e chorar traz você de volta. Procure ignorar completamente o choro de seu cão nessas ocasiões e não retorne (recompense) enquanto ele não parar de chorar ou latir.

NÃO RECOMPENSE COMPORTAMENTOS INDESEJÁVEIS

Infelizmente, muitas pessoas ignoram seus cães quando eles estão se comportando exatamente como elas querem e, ao contrário, lhes dão toda a atenção quando não se comportam. É claro que essas pessoas dificilmente terão um cão educado e com possibilidades de ter um convívio saudável. Para que isso não ocorra com você, procure recompensar seu cão quando ele o aguardar silenciosamente e deixe para puni-lo (não lhe dando nenhuma atenção) quando ele estiver chorando e latindo.

Cuidado: Ir até onde o cachorro está preso para dar-lhe uma bronca quando ele estiver latindo por se sentir solitário pode piorar o problema, pois, além de ele ter conseguido atrair você com seus latidos ou choro, sua bronca contribuirá ainda mais para aumentar a verdadeira causa do problema, que é a ansiedade do animal.

RESUMO

- Nas primeiras noites do filhote, podemos permitir que durma em companhia de alguém para adquirir confiança.

- Prepare o lugar em que seu cão passará a noite, colocando objetos, cheiros e sons dos membros do grupo dele. Acostume-o com o local, procurando brincar e interagir com ele nesse espaço.
- Deixe-o e encontre-o sem manifestações de euforia, ignorando-o por alguns minutos antes de partir e ao chegar.
- Acostume seu cão a ficar sozinho, aumentando o tempo de isolamento gradativamente. Procure não voltar, nem para confortá-lo nem para lhe dar uma bronca, quando ele estiver chorando ou latindo.
- Dê a ele brinquedos e o estimule a brincar para que possa ocupar seu tempo.

PULAR NAS PESSOAS

Este é um problema muito fácil de ser resolvido. A dificuldade só existe quando as pessoas tentam corrigir esse problema de maneira errada. Elas acham que estão punindo o cachorro ao brigar com ele, quando na verdade o estão recompensando ou confundindo.

Ensinar o cão a não pular nas pessoas é um procedimento que exige a cooperação de todos. Se alguém de sua casa realmente gosta que o cachorro pule nela, deve utilizar um comando como "upa!" e bater a mão no peito, assim o cachorro saberá que só poderá pular sob essa condição e na pessoa que fizer isso. Para treinadores, essa diferenciação é feita com muita facilidade, mas, caso você não tenha muita prática, opte por punir todas as vezes que seu cão pular em você.

VOCÊS SÃO OS CULPADOS

Os cachorros aprendem que pular nas pessoas é uma das melhores táticas para conseguir atenção e interação. Quando eles são filhotes e pulam nas pessoas, elas geralmente começam a brincar com o cachorrinho ou pegam-no e o acariciam. Não é necessário dizer que vocês mesmos ensinaram esse comportamento ao seu cachorro.

O correto seria nunca ter ensinado seu cão a pular nas pessoas. O simples ato de ignorar o filhote quando ele pula em você é suficiente para eliminar o comportamento, pois a intenção dele de conseguir sua atenção fracassa, e, como você já sabe, o fracasso é uma das melhores punições. Mas quem resiste ao assédio de um animal fofinho e brincalhão?

A maioria das pessoas passa anos dando broncas no cachorro para que ele pare de pular e não entende por que eles não param! A explicação é simples: o cão aprendeu que pular é uma ótima maneira de conseguir atenção, e continua sendo! As pessoas, ao darem bronca em seus cachorros, estão lhes dando atenção também. As "broncas" que normalmente as pessoas utilizam é pegar no cão e colocá-lo no chão ou empurrá-lo, mas em ambos os casos o cão conseguiu o que queria: atenção e contato corporal. Punições eficientes para esse caso não incluem contato corporal.

RECOMPENSE-O COM ATENÇÃO SOMENTE QUANDO NÃO PULAR

O grande truque é punir o seu cachorro sem lhe dar atenção, e você ficará espantado com a rapidez de aprendizado dele. Você terá de repetir o exercício algumas vezes, mas uma semana costuma ser mais do que suficiente para que seu cão pare completamente de pular em você e nas outras pessoas.

Uma boa estratégia para eliminar esse problema é, após ensinar o cão a sentar sob comando, apresentar petiscos na mão e pedir para que ele sente. Dê o petisco bem aos poucos e aproveite para fazer carinho nele calmamente. Dessa forma ele percebe que conseguirá uma interação com você se sentar.

Caso ele pule, você pode ignorá-lo ou ainda puni-lo com um jato de água. Para isso, o borrifador deve estar à mão, pois a bronca precisa ser instantânea.

RESUMO

- Seja coerente ao ensinar seu cão. Não o deixe pular nunca em você sem que você peça, ou, se preferir, deixe-o pular sempre, independentemente da roupa que esteja usando.
- Peça a colaboração de todos para facilitar o aprendizado para o cão. Procure não abrir exceções, pois, quanto mais gerais as regras, mais fácil será para seu cão entendê-las.
- Não dê atenção nenhuma ao seu cão quando ele pular em você, e, quando não pular, recompense-o e acaricie-o.
- Procure recompensar a recusa dele em pular em você, e não o recompense quando conseguir apenas tirá-lo de cima de você.

MORDER AS PESSOAS COMO FORMA DE BRINCAR

Controlar esse comportamento torna o convívio com o cão mais agradável, além de diminuir a probabilidade de que ele use a boca contra você futuramente ao se defender ou ao tentar mostrar dominância.

Se você observar filhotes brincando, irá perceber que eles passam a maior parte do tempo trocando mordidas e se agarrando. Isso é completamente normal e saudável, mas aos poucos o cãozinho terá que aprender a não brincar de morder você e as demais pessoas.

Se ele aprender a respeitar limites durante as brincadeiras, os acidentes serão menos sérios e mais raros. Pessoas que possuem cães extremamente dóceis e confiáveis podem permitir com que o cão morda-os gentilmente durante as brincadeiras.

EDUQUE-O DESDE O COMEÇO

Procure desde logo ensinar ao seu cãozinho que morder as pessoas não é permitido. Assim que ele começar a morder sua mão, diga "Não!" severamente e lhe provoque um desconforto (apertar a língua do cão ou espirrar uma substância amarga na sua mão costumam funcionar). Apre-

sente para ele sua mão e um brinquedo: se ele morder sua mão, puna-o, se morder o brinquedo, recompense-o, brincando e elogiando.

Alguns filhotes, ao serem impedidos de nos morder, ficam instantaneamente mais agressivos e passam a morder mais fortemente. Nesses casos, sempre que ele o morder, diga "Não!" e lhe cause um desconforto (adeque a bronca caso a que escolheu não esteja sendo eficiente), e abandone-o imediatamente. Volte algum tempo depois e lhe dê uma nova chance.

Esse problema persistirá mesmo depois de o cão ficar adulto, caso ele perceba que essa é uma ótima forma de chamar sua atenção. Por isso, não brinque ou interaja com o cão quando ele se comportar de maneira indesejada.

RESUMO

- Controlar o hábito de morder as pessoas torna a convivência com o cão mais agradável e diminui as chances de acidentes.
- Diga "Não!" seriamente toda vez que seu cão mordê-lo, impedindo-o que ele o faça e lhe causando um desconforto. Não se esqueça de deixar brinquedos à disposição e elogie-o se ele passar a morder o brinquedo.
- Se ele protestar latindo, ignore esse comportamento.

TENTATIVAS DE "COPULAR" COM PESSOAS E OUTROS CÃES

O comportamento sexual e a alimentação são igualmente importantes para a sobrevivência das espécies. Muitos machos param de se alimentar diante da excitação de detectar fêmea no cio. Durante o período de sociabilização, que vai até os 90 dias, os cães aprendem comporta-

mentos próprios da espécie por meio do convívio. São conhecidos vários casos de cães com problema para acasalar por terem sido separados novos demais da mãe, dos irmãos e de outros indivíduos da espécie. É normal que as brincadeiras e treinos de monta comecem quando o filhote ainda está mamando e que continuem por toda a vida. Isso vale tanto para os machos quanto para as fêmeas. E não faz diferença se a prática ocorre com exemplares do mesmo sexo ou não.

Quando esse comportamento se torna excessivo, estressando o cão assediado, ou quando inicia uma briga, torna-se necessário eliminá-lo.

Já os cães que montam em pessoas não só causam constrangimentos como podem se tornar agressivos se tentarmos separá-los de seu "par". Esse comportamento é mais característico em cães que foram retirados muito cedo da ninhada e que não foram devidamente socializados com outros cães ou que sejam extremamente dominantes.

Adestrar e mostrar liderança a esses cães costuma resolver o problema. Procure também impedir seu cão de pular em qualquer pessoa empregando alguma providência que provoque nele uma sensação desagradável, como espirrar água diretamente na cara dele utilizando um *spray*, até que ele se recuse a montar. Não corra atrás do cão que se afasta quando você quer borrifá-lo. A perseguição poderá ser vista como recompensa se ele se divertir fugindo. Antecipe a situação colocando o cão na guia. Procure inibi-lo tão logo ele comece a demonstrar a intenção de agir assim, pois, caso contrário, a própria sensação produzida pelo comportamento o recompensará. É importante que a aplicação da punição seja feita por quem convive com o cão, jamais pelas visitas. Os donos devem educar seus cães, e as visitas, por não saberem qual é a intensidade da bronca mais adequada àquele animal, poderão tanto exagerar na

dose, assustando-o, quanto correr o risco de ser atacadas se o cachorro for agressivo e dominante.

Petiscos podem ser oferecidos quando o cão ainda não tentou copular com a visita, desviando a atenção dele.

O CÃO PRECISA CRUZAR?

Tanto o cão quanto a cadela não precisam acasalar. Na verdade, os acasalamentos aumentam o risco de contrair doença, pois, como os humanos, os cães também possuem doenças sexualmente transmissíveis.

Muitos relacionam a falta de relações sexuais ao grau excessivo de atividade do cão e ao comportamento de montar nas pessoas. Vários experimentos já demonstraram que o cão agitado, com alta libido ou que apronta pela casa, continua se comportando do mesmo modo depois de ter relação sexual. O cão jovem, ao sair da adolescência, por exemplo, apresentará mudanças comportamentais independentemente de ter acasalado ou não. Como muitas pessoas cruzam seus animais nessa época, acabam associando a mudança de comportamento com o fato de ter acasalado.

RESUMO

- Impeça que seu cão tente "copular" com pessoas ou coisas assim que ele demonstrar essa intenção.
- Não há necessidade de se preocupar quando cães do mesmo sexo montam uns nos outros, pois isso é normal. Exceto se a atitude puder causar brigas.
- Não retire prematuramente o filhote do convívio com a mãe e os demais irmãos da ninhada. Desde cedo, socialize-o com outros cachorros.
- Impeça seu cão de tentar "copular" com pessoas por meio de punições imediatas. Espirrar água na cara do cachorro com um *spray*, toda vez que ele montar, costuma resolver o problema.
- Cães podem ter uma vida saudável sem nunca acasalar.

CIÚMES EM RELAÇÃO A PESSOAS OU OUTROS CÃES

Frequentemente nos deparamos com situações desagradáveis e muitas vezes perigosas devido ao que podemos chamar de "ciúmes".

Os cães, como vários outros animais, protegem objetos e seres vivos da aproximação de outros animais ou pessoas. Esta é uma atitude normal e saudável, mas muitas vezes se torna exagerada, prejudicando o convívio do grupo. Ter um cão que proteja seu território contra estranhos ou que ameace uma pessoa que o está claramente ameaçando pode ser até desejável, mas, por exemplo, se seu cão mostra os dentes para sua mulher sempre que ela o abraça, ou rosna para o namorado de sua filha todas as vezes em que ele toca a campainha, esse é um comportamento intolerável.

Os ciúmes aparecem quando o cão sente que seus interesses serão prejudicados pela outra pessoa ou animal. Por exemplo, uma cliente minha não dava mais atenção para o cachorro quando o namorado dela chegava, e o animal, aos poucos, foi ficando agressivo com o rapaz; depois de algum tempo, ela passou a prendê-lo todas as vezes que o namorado chegava, o que só piorou a situação. Para o cão, a presença do namorado dela passou a significar ser ignorado e confinado.

Muitas vezes, sem querer, fazemos nossos cães associarem uma porção de coisas negativas com pessoas ou outros animais. Se você sim-

plesmente ignorar os sentimentos de seu cão, não se surpreenda quando ele rosnar especificamente para alguém ou tentar impedir que determinada pessoa chegue perto de você. Você não pode permitir esse tipo de comportamento, mas procure evitar, da melhor forma possível, que a situação chegue a esse ponto.

COMO LIDAR COM O PROBLEMA

O chefe da matilha é quem controla as regras do convívio, portanto, a primeira medida a ser tomada para mudar esse comportamento é se tornar o líder de seu cão. Leia e coloque em prática o capítulo "A matilha". Se você for o líder da matilha, seu cão saberá que não cabe a ele decidir quem deve se aproximar de você ou quem não pode fazer isso.

Como o ciúme é causado por sentimentos negativos relacionados a pessoas e animais, é importante que se reduzam os motivos do ciúme, e qualquer punição deve vir diretamente da pessoa que está sendo protegida pelo cão, pois, caso contrário, mais relações negativas irão somar-se àquela determinada pessoa indesejada pelo cão, agravando o problema. Quando um cão, ao proteger a mulher, ataca o marido, este não deve punir o cão, pois, se o fizer, piorará ainda mais a situação.

CUIDADO COM PUNIÇÕES E PRIVAÇÕES SELETIVAS

A punição nesses casos, embora às vezes seja necessária, deve ser evitada, para não agravar o problema. Procure agir positivamente, relacionando coisas agradáveis com a presença da outra pessoa ou animal que seja a causa do ciúme e recompensando seu cão quando ele demonstrar comportamentos desejáveis nessas situações. Minha cliente, seguindo minha orientação, resolveu o problema dando um petisco ao cachorro sempre que seu namorado chega, e, às vezes, vão juntos levar o cachorro para passear. A agressividade do cão, atualmente, transformou-se em uma atitude simpática e alegre quando os três estão juntos.

Pessoas que possuem mais de um cão, muitas vezes, param de fazer carinho quando o segundo cão se aproxima ou, ainda, só dão petiscos quando os animais se encontram separados, achando que assim evitarão disputas e ciúmes. Os cães em pouco tempo relacionarão a presença do outro com algo desagradável, já que são privados de petiscos e atenção, aumentando ainda mais a chance de conflitos e ciúmes.

Outra situação problemática ocorre quando a mulher permite que seu cão durma em sua cama apenas na ausência do marido. O cão relacionará a presença do marido com privação de carinho e conforto, aumentando o ciúme e prejudicando a relação entre ambos.

RESUMO

- Torne-se o chefe da matilha para ter o direito, perante seu cão, de alterar as regras do convívio.
- A punição nunca deve vir da pessoa que está sendo ameaçada pelo cão.
- Procure evitar que seu cão associe seus amigos ou outros animais com coisas negativas. Não deixe de dar atenção e não o prive de nada toda vez que uma determinada pessoa ou animal vier visitá-lo ou se aproximar de você.
- Recompense seu cão por condutas agradáveis e corretas. Mostre a ele, positivamente, o que você espera dele.

PROBLEMAS DO CÃO EM RELAÇÃO À CASA

NESTE CAPÍTULO VOCÊ VAI APRENDER:

- por que o cão faz buracos no jardim;
- que, ao subir nos móveis, o cão se sente recompensado de alguma maneira;
- que o filhote rói móveis e objetos para aliviar a coceira nas gengivas, mas o cão adulto pode também apresentar esse comportamento;
- formas de ensiná-lo a viver "civilizadamente" numa casa.

CAVAR O JARDIM

Cavar para os cães é uma atividade natural e saudável. Infelizmente, na maioria das casas não há condições para permitir que o cão cave, por isso, além de eliminar os motivos que automaticamente recompensem seu cão, é necessário puni-lo quando ele o fizer.

Muitos comportamentos, como o de latir exageradamente, destruir coisas, cavar etc. podem ser resultados de um cão estressado por falta de atividade ou por falta de companhia. Cães são animais sociais que dependem de companhia para levar uma vida saudável. Caso seu cão não tenha acesso a companhia, ao puni-lo por cavar você se verá diante de outro problema.

O cão pode estar cavando por diversos motivos, como:

- para esconder sobras de alimentos ou ossos;
- para "preparar" um lugar fresco para deitar;
- para imitá-lo;
- para chamar sua atenção;
- para exercitar-se ou para aliviar o tédio ou a ansiedade.

ELIMINE AS CAUSAS

Procure não deixar seu cão abandonado no quintal. Permita-lhe participar de atividades sociais e leve-o para se exercitar. Caso seu cão passe grande parte do tempo sozinho, procure criar atividades para que ele possa se distrair, aliviando o estresse da solidão. Alguns brinquedos são projetados especialmente para esse fim.

A segunda medida a ser tomada é certificar-se de que seu cão tenha um lugar fresco e agradável para deitar; assim diminuirá as chances de que ele eleja um determinado canteiro de flores para descansar.

Como em relação a vários outros comportamentos, o cão pode perceber que, quando cava, chama sua atenção. Se você sair de casa e correr para o quintal para dar bronca em seu cão porque ele está cavando ou, ainda, ficar um tempão tapando os buracos que ele fez, ele passará a cavar

sempre que se sentir carente. Por isso, não lhe dê atenção quando estiver fazendo algo errado, e procure tapar os buracos e reparar os estragos discretamente, longe dele.

Os cães também aprendem por imitação, por isso, não plante ou cave buracos na frente de seu cachorro. Muitas pessoas ficam abismadas porque seu cão sempre destrói o canteiro preferido logo depois de elas terem revolvido e adubado a terra, sem perceber que o cão estava tentando imitá-las.

QUANDO E COMO PUNI-LO

Quanto mais eficazes formos ao aplicar as punições, mais rapidamente o problema cessa. Se todas as vezes em que seu cachorro for cavar se deparar com algo desagradável, em alguns dias você terá resolvido o problema. Se você permitir que ele cave grande parte das vezes e só conseguir puni-lo de vez em quando, o problema persistirá. Por isso, considere a possibilidade de manter seu cão em algum lugar que ele não possa cavar quando você não estiver preparado para puni-lo.

Se você não puder manter o animal em algum lugar assim quando você não estiver, as punições deverão ser despersonalizadas para que o cão não cave, também, na sua ausência. Há inúmeras maneiras de punir o cão por cavar, como colocar fezes deles mesmos no fundo dos buracos antes de tapá-los. Outra maneira é jogar alguns objetos punitivos, como várias latas, na direção dele, sem atingí-lo e sem que ele perceba que você as está atirando, para que acredite que, quando cava, objetos desagradáveis vindos do nada caem próximo a ele. As broncas devem ser consistentes com o comportamento errado, para que o cão entenda que elas só ocorrerão se ele não agir de determinada forma.

Atenção: Evite assustar cães medrosos ou inseguros!

RESUMO

- Localize quais são e elimine os motivos que levam seu cão a cavar.
- Crie oportunidades para que seu cão tenha companhia, leve-o para se exercitar, verifique se há um lugar fresco e agradável para ele descansar e compre brinquedos que o entretenham na sua ausência.
- Não tape os buracos feitos pelo seu cão, nem plante ou cave buracos na frente dele, pois ele irá imitá-lo.
- Coloque fezes dele nos buracos antes de tapá-los ou crie outras formas de punição despersonalizadas para quando ele começar a cavar ou já estiver em plena ação.

SUBIR NOS MÓVEIS

Os cães sobem nos móveis ou porque foram ensinados ou porque são recompensados ao subirem. Quando o cão pula no sofá, por exemplo, além de conseguir a nossa atenção, o próprio sofá o recompensa, pois torna a sonequinha dele superconfortável.

Se o seu cão sobe na mesa, ele sobe para chamar sua atenção ou porque às vezes acha alguma comida gostosa que o faz sentir-se recompensado.

O primeiro passo é impedir que ele seja recompensado ao pular. Não deixar a comida espalhada em cima dos móveis é uma providência óbvia, mas como impedir que o sofá não torne a soneca de seu cão mais agradável?

Ao sair de casa, coloque algo que torne o sofá desconfortável. Tiras de fita adesiva dupla-face assustam o cachorro, pois, quando ele as toca, elas ficam presas no pelo dele, e o cão provavelmente não tentará subir no sofá por algum tempo. Com essa prática, alguns cães, após algum tempo, perdem o hábito de subir nos móveis, enquanto que outros, assim que percebem que a situação mudou, voltam a se comportar da mesma forma. Cães pequenos que não consigam ver se a dupla face está presente ou não no sofá antes de pularem nele não costumam retroceder no treinamento.

A ARTE DE DESPERSONALIZAR PUNIÇÕES

Estes truques ensinam o cachorro a não subir nos móveis estando você presente ou não, pois, se a punição não for personalizada, seu cão não associará sua presença no recinto com o fato de não poder subir no sofá. Se puni-lo diretamente, assim que você sair de casa o cão pode achar que subir no sofá é permitido, já que nada lhe acontece na sua ausência. Utilize sua imaginação e criatividade para criar maneiras de punir seu cão na sua ausência, quando ele fizer algo de errado. Uma dica é colocar um barbante esticado em cima do sofá e preso a algo barulhento como uma lata cheia de parafusos e moedas — quando o cachorro tentar subir, a lata cairá, mas tome o cuidado de colocá-la numa posição em que não haja risco de machucá-lo. Aos poucos você criará alguns objetos dos quais seu cão não vai querer ficar próximo, como a lata com parafusos e moedas. Quando essa aversão ficar bem-caracterizada, será suficiente colocar o objeto temido em cima dos móveis em que seu cão não deva subir, numa posição bem visível.

O problema é: quem gosta de ficar numa casa com latas cheias de parafuso decorando o ambiente? Você pode utilizar essas técnicas somente quando não houver ninguém em casa e ensiná-lo "pessoalmente" a não subir quando você estiver presente.

Atenção: Caso seu cão sofra de ansiedade de separação ou seja assustado, evite o uso das latas como descrito acima.

DEIXE A SITUAÇÃO BEM CLARA PARA SEU CÃO

Você deve estimulá-lo a subir no sofá sem utilizar nenhum comando, já que nunca se deve punir o cachorro por obedecê-lo. Bata no sofá, divirta-se com o sofá e, quando ele pular no sofá, pare imediatamente a farra, agarre-o pela coleira, coloque-o no chão, dizendo "chão". Não diga mais nada e não olhe para ele. Repita tudo de novo, até que ele se recuse a pular no sofá, então transfira toda a alegria e bagunça do sofá para ele, ou seja, brinque e faça carinho nele, no chão. Resumindo: induza-o a subir no sofá sem chamá-lo; caso ele faça isso, puna-o, colocando-o de volta no chão; e caso não suba, elogie-o e faça-lhe carinhos.

Se você estiver próximo de seu cachorro e perceber que ele está em cima do sofá ou subindo nele, diga "chão" e ande seriamente na direção dele, pegue-o pela coleira e coloque-o no chão. Não lhe dê nenhuma atenção. Andar na direção dele já pode ser considerado como atenção, por isso, sempre que possível, mantenha-o preso a uma guia comprida que permita com que você o puxe, sempre que estiver condicionando-o a não subir nos móveis.

É importante induzir seu cão a fazer a coisa errada inúmeras vezes para que fique claro para ele o que é errado. Não se esqueça de elogiá-lo e dar-lhe atenção sempre que ele se recusar a fazer a coisa errada. É mais importante recompensar as atitudes corretas do que punir as erradas.

RESUMO

- O que causa o comportamento são as recompensas. Identifique--as e as elimine, se possível.
- Ensine seu cão a não subir nos móveis na sua presença. Mostre a ele que é errado.

- Despersonalize as punições montando armadilhas, para que ele não suba nos móveis também na sua ausência.
- Não se esqueça de recompensá-lo por não subir.

ROER AS COISAS

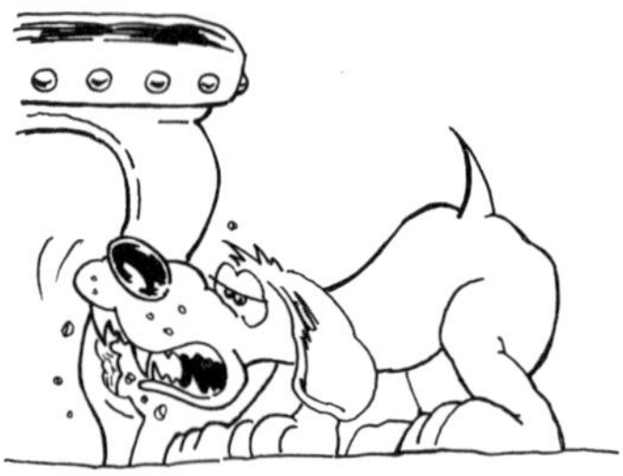

Roer grande parte do dia e praticamente tudo o que encontram pela frente é um problema característico de filhotes, mas cães adultos ansiosos, compulsivos ou com problemas fisiológicos também podem apresentar esse comportamento.

Aja com os animais adultos da mesma forma que com os filhotes e procure exercitá-los frequentemente para diminuir a ansiedade deles.

São vários os problemas fisiológicos e psicológicos que podem levar o cão a roer excessivamente, como verminoses, falta de sais minerais, desequilíbrio químico-cerebral etc. Antes de tentar controlar o comportamento, consulte um veterinário para ter certeza de que seu cão está saudável.

Os filhotes geralmente roem tudo que encontram pela frente porque, ao mastigar, eles sentem alívio da dor na gengiva, além de provarem gostos e sensações novas.

A dor na gengiva é causada pela troca dos dentes, e é por isso que essa compulsão para roer tudo ocorre geralmente nos três primeiros meses de vida do cão. Embora essa dor desapareça, muitos cães conservam o hábito de roer qualquer objeto à disposição pelo resto da vida. O cãozinho não deve ser privado de roer, mas não deve poder roer todos, mas apenas os próprios brinquedos, que devem ficar ao alcance dele.

NÃO PERMITA QUE O COMPORTAMENTO SE TORNE UM VÍCIO

Muitos problemas de comportamento são adquiridos na juventude do cão e persistem por terem sido recompensados. Quando um cãozinho rói o sofá da sala, ele automaticamente está sendo recompensado pelo alívio de sua dor, portanto, para ele, roer o sofá é algo bom. O simples fato de privar seu cão, nessa fase, de roer qualquer objeto que não os brinquedos dele, impede que esse comportamento se torne um vício.

Punir seu cão por roer algo que não deva e recompensá-lo por roer os próprios brinquedos é a melhor maneira de resolver esse comportamento.

DEIXE OS BRINQUEDOS AINDA MAIS INTERESSANTES PARA SEU CÃO

Os cãezinhos são curiosos e adoram receber novos brinquedos, portanto, procure sempre renová-los para que o cão não perca o interesse. Varie as texturas, materiais e formatos. Coloque no freezer alguns brinquedos antes de dá-los ao filhote para aliviar ainda mais a dor que ele sente na gengiva. Procure mostrar ao cãozinho que os brinquedos novos são para ele, brincando com eles e estimulando o filhote a fazer a mesma coisa, diminuindo assim a chance de ele eleger determinados objetos dispersos pela casa como brinquedos. Evite dar-lhe tênis velhos ou qualquer coisa que se assemelhe a objetos de uso das pessoas da casa, para não ensiná-lo a brincar indevidamente com eles.

SUPERVISIONE O COMPORTAMENTO DELE

Além de fornecer várias alternativas para seu filhote aliviar a dor na gengiva, recompense-o com carinho e atenção quando ele morder os brinquedos fornecidos e, como já foi dito, puna qualquer intenção de roer algo que não seja dele. Um enérgico "Não!", uma batida de jornal ou garrafa plástica no chão, ao lado de seu cãozinho, ou ainda uma lata com moedas lançada quando ele optar por roer algo como o tênis que está no seu pé são algumas das punições que podem ser aplicadas. Se ele estiver mordendo seu sapato, prepare-se com um spray de água ou com algo que faça barulho e, toda vez que ele tentar fazer isso, utilize o objeto de punição. Sempre que estiver preparado para puni-lo, induza-o a cometer o ato, puna-o por demonstrar o comportamento indesejável e recompense-o quando recusar-se, mesmo quando induzido.

Procure deixar claro para seu cãozinho que o ato de roer não é ruim, mas roer determinadas coisas é. Ofereça-lhe brinquedos e estimule-o a mastigá-los.

Quando estiver a uma certa distância, procure atirar objetos barulhentos, como o molho de chaves ou a lata com parafusos sem que seu cão desconfie que foi você quem os atirou. Ou, ainda, coloque produtos amargos próprios em locais que seu cachorro roa. Assim, o problema deixará de ocorrer não só na sua presença, mas também quando você estiver ausente.

Todos os comportamentos problemáticos que automaticamente recompensem o seu cão devem ser cautelosamente supervisionados, pois nesses casos basta o cão agir de maneira indesejada para ser imediatamente recompensado. Como já foi dito, quando ele rói qualquer coisa, ele é recompensado pelo alívio da dor na gengiva, por isso, até passar essa fase, o cão deve ser observado grande parte do tempo e, quando você não puder ficar atento, confine-o em locais em que esse comportamento desagradável não possa ocorrer. Até aprender a respeitar os objetos da casa, e se for corretamente acostumado, seu filhote poderá passar curtos períodos do dia confinado na caixa de transporte, sem nenhum constrangimento, o que é uma solução segura, pois evita que ele se acidente, roendo, por exemplo, algum fio elétrico.

RESUMO

- Verifique com seu veterinário se seu cão não possui nenhum problema que possa ser a causa do mau comportamento.
- Não permita que seu filhote roa nada além dos brinquedos dele. Ofereça-lhe vários brinquedos e renove-os de tempos em tempos. Se possível, congele-os antes de dá-los ao cãozinho.
- Aplique punições despersonalizadas quando o filhote estiver roendo algo que não pertença a ele e recompense-o com atenção e brincadeiras quando ele optar por morder os próprios brinquedos.

PROBLEMAS DO CÃO RELACIONADOS AO ATO DE COMER

NESTE CAPÍTULO VOCÊ VAI APRENDER:

- que seu cão provavelmente não sabe que é errado roubar comida;
- como impedi-lo de roubar alimentos;
- a ensiná-lo a não pedir comida quando você estiver comendo;
- como evitar que ele coma as fezes de outros cães;
- como tentar combater o hábito de comer as próprias fezes.

ROUBAR COMIDA

Os cães, enquanto viveram livres, em sua condição natural, eram obrigados a aproveitar cada chance que tinham para comer, independentemente do local ou da hora. Por outro lado, os cães dominantes, pelas leis da matilha, têm o poder de impedir os demais de se alimentar ou o de proteger a própria comida. Portanto, se você for o líder da matilha, ficará mais fácil para seu cão aprender a respeitar sua comida.

O seu cão pode estar roubando comida sem ter a menor ideia de que está fazendo algo errado. Mas se ele é inocente, por que só rouba quando você se distrai ou sai para fazer alguma coisa? A resposta é simples: ele acha que pegar comida quando você está olhando é errado, pois leva uma bronca, mas, quando você se distrai, é certo, já que nada acontece, e a comida continua tendo um gosto ótimo. Quando está "roubando" a comida e avista você, ele sai correndo, pois sabe que as regras do jogo mudam na sua presença. Mais uma vez, a solução é despersonalizar a punição.

O PRÓPRIO ATO SE AUTORRECOMPENSA

Muitos atos que são problemas de comportamento automaticamente recompensam o cachorro, e é por isso que eles continuam a agir de tal modo. O seu cão será automaticamente recompensado sempre que conseguir roubar e comer algum alimento. É equivalente a quando se senta e recebe de nós um petisco – sempre que ele rouba, também recebe.

Considere a hipótese de não deixar nenhum alimento ao alcance ou disponível para seu cão. Assim, ele não criará o hábito de roubar.

A PUNIÇÃO DEVE SER RELACIONADA COM O FRACASSO DA INTENÇÃO

Para puni-lo, planeje armadilhas e fique atento para que seu cão não consiga ingerir o alimento após a armadilha funcionar. Eu já presenciei cães que puxam um pedaço de carne cautelosamente esperando alguma coisa cair (o que quer que estivesse amarrado na carne com o intuito de assustar o cão), para depois sair correndo e ingerir o pedaço sossegadamente. Ou ainda cães que abocanham pedaços de carne ligados na eletricidade e rapidamente os atiram longe, desconectando-os, para depois ingerirem alegremente o alimento. Para eles, o que estavam fazendo não tinha nada de errado! Qualquer que seja a armadilha, certifique-se de que a intenção do cão falhou, ou seja, tenha certeza de que ele não vai ingerir o alimento, caso contrário a punição perderá o efeito e o comportamento persistirá.

Amarrar no alimento algo que caia fazendo barulho quando seu cão tentar roubá-lo é uma providência que funciona desde que você entre em ação para impedi-lo de ingerir o alimento, caso exista chance disso ocorrer.

Se você conseguir disfarçadamente surpreender o cachorro roubando comida, atire algo na direção dele que cause um susto e esconda-se ou finja que não teve nada a ver com a punição.

Cuidado: Produtos desagradáveis, que não sejam próprios para o adestramento, adicionados ao alimento para que seu cão tenha uma surpresa ruim podem resultar em intoxicação.

RESUMO

- Não deixe alimentos espalhados se houver a possibilidade de seu cão alcançá-los.
- Planeje armadilhas para punir seu cão no ato do roubo. A punição, para ser efetiva, deve estar associada ao fracasso, ou seja, o seu cão não pode conseguir ingerir o alimento após a armadilha entrar em ação.

PEDIR COMIDA QUANDO VOCÊ ESTÁ COMENDO

Alimentar seu cão com comida preparada para "gente" é uma péssima ideia. Os cães possuem necessidades nutricionais diferentes das nossas e devem comer alimentos que não os prejudiquem.

Cães que pedem comida geralmente são aqueles que a recebem de seus donos enquanto eles comem, e logo aprendem que, se latirem ou ficarem pedindo de alguma outra forma, conseguirão mais um pedacinho.

NÃO RECOMPENSE COMPORTAMENTOS QUE VOCÊ QUER ELIMINAR

Nunca dê nada comestível para seu cão enquanto você estiver comendo e não permita que ninguém faça isso em sua casa, e dentro de poucos dias seu cão deixará de implorar por comida durante as suas refeições.

É importantíssimo que qualquer incômodo que seu cão cause nas horas da refeição seja totalmente ignorado ou punido, e jamais recompensado. É muito comum observar pessoas que estão tentando desacostumar o cachorro a comer "indevidamente" ficarem tão impacientes com o comportamento obsessivo do cão que acabam lhe dando um pedacinho, só para que ele "cale a boca". Não é preciso dizer que essas pessoas estão treinando o animal a se portar permanentemente de maneira errada.

RESUMO

- Não se deve alimentar o cão com comida adequada para pessoas, por mais "humano" que você considere seu cão.
- É muito importante resistir a latidos, trejeitos e sons produzidos por seu cão na hora das refeições, em sua tentativa para ganhar um bocado de comida.

- Não dê nenhum alimento ao seu cão durante as suas refeições, e também não permita que ninguém o faça, independentemente de quanto ele implorar.

COMER FEZES DE OUTROS ANIMAIS

Alguns cães comem fezes de outros animais. Isso, embora normal, é um hábito que, além de causar nojo às pessoas e produzir um hálito superdesagradável, aumenta a chance de o animal contrair doenças e verminoses.

As fezes, por incrível que pareça, ainda possuem muitos nutrientes e vitaminas não absorvidos ou digeridos. Portanto, o animal, ao comer fezes, está se alimentando. Assim, deficiências nutricionais ou distúrbios do aparelho digestivo são fatores que contribuem muito para o desenvolvimento do hábito de comer fezes.

SOLUÇÕES

Informe-se primeiramente com seu veterinário se a saúde do cão está em ordem e se o problema não pode ser resolvido com mudanças na dieta, ou, talvez, com alguma suplementação nutricional.

Se o cão come as fezes do seu gato, procure colocar a caixa de areia do gato em algum lugar que fique inacessível para o cão, ou então faça uma caixinha fechada com apenas uma porta que seja do tamanho do gato, para que o cão não consiga entrar.

RESUMO

- Leve seu cão ao veterinário para avaliar se ele está sofrendo de deficiências nutricionais. Suplementação alimentar ou alterações na dieta podem solucionar o problema.

- Procure combater vermes ou doenças que possam ter sido contraídas por intermédio desse comportamento.
- Sempre que for possível, impeça seu cão de entrar em contato com fezes de outros animais.

COMER AS PRÓPRIAS FEZES

Este hábito é mais raro do que a ingestão de fezes de outros animais e também mais difícil de ser eliminado. Embora o problema possa ter exatamente as mesmas causas que instigam o cão a se alimentar de fezes de outros animais, como a deficiência nutritiva, esse comportamento pode ser provocado por imitação ou ansiedade.

Você deve estar se perguntando como é que surge por imitação se ninguém em uma casa normal come fezes. Quando seu cão observa você limpando as fezes dele, ou seja, removendo-as de onde ele defecou, ele pode tentar fazer a mesma coisa. Independentemente do que ele ache que você fez com as fezes, o cão só tem uma única maneira de imitá-lo: para remover as fezes do local ele precisa comê-las.

A ansiedade pode ser a culpada. Cães que adquirem esse hábito geralmente são animais que ficam grande parte do dia sozinhos ou confinados em canis. A falta de exercício e companhia tem muita influência sobre esse tipo de comportamento.

AS SOLUÇÕES PARA ESSE PROBLEMA

A primeira providência a ser tomada é consultar um veterinário para que ele possa avaliar se o problema é fisiológico ou comportamental.

Alimentos com maior teor de proteína ou substâncias específicas adicionadas às fezes que tornem a ingestão delas desagradável podem ser a solução para o problema. Colocar vinagre ou algum outro produto atóxico diretamente sobre as fezes também pode contribuir para fazer rarear esse comportamento.

Procure não recolher as fezes na frente do cão e leve-o ao local em que deve defecar algumas vezes por dia — e não se esqueça de agradá-lo e elogiá-lo por evacuar no local correto. Assim, fica muito mais fácil controlar esse comportamento, pois você estará no local no momento em que o cão defecar. Ao mesmo tempo em que você o recompensa com um petisco, jogue algum produto amargo, não tóxico, sobre as fezes. Como já foi dito, se você simplesmente punir o cão por defecar nos lugares impróprios, ele pode achar que o problema é defecar na sua presença, e então se tornará cada vez mais difícil resolver o problema, porque ele evitará defecar quando você estiver presente e, quando você estiver fora, nada poderá fazer para impedi-lo de comer as fezes.

RESUMO

- Consulte seu veterinário e verifique se a causa do problema não é nutricional.
- Procure aumentar o teor de proteína na dieta ou adicione algum produto na ração que modifique a composição das fezes e desestimule o cão a ingeri-las.
- Não recolha as fezes na presença do seu cão; coloque vinagre ou alguma outra substância para impedi-lo de comê-las até que você possa removê-las.
- Leve seu cão para defecar. Assim ficará muito mais fácil o controle do problema.
- Evite dar broncas em seu cão quando ele estiver defecando, para que ele não comece a fazer as necessidades às escondidas, o que dificultará o controle do comportamento.

PROBLEMAS COM O CÃO NA HORA DO PASSEIO

NESTE CAPÍTULO VOCÊ VAI APRENDER:

- os motivos que levam seu cão a puxar a guia;
- como neutralizar ou eliminar esses motivos;
- como ensiná-lo a não tracionar a guia e a prestar mais atenção em você;
- como evitar que seu cão seja atropelado;
- a ensiná-lo a não atravessar a rua sem ter recebido o comando.

PUXAR A GUIA

Se seu cachorro estiver levando você para passear, e você não for um esquimó, os conceitos e dicas descritos aqui serão muito úteis.

É importante ensinar seu cão a andar sem puxar a guia para o seu bem e para o bem dele. O passeio fica mais confortável, e aumentam as chances de as outras pessoas da casa quererem passear com ele.

Há motivos para seu cão puxá-lo — pelo menos ele acha que sim. O seu cachorro pode estar puxando a guia pelos seguintes motivos (ou por uma combinação deles):

- Ele já está acostumado a lhe dar ordens, então no passeio não será diferente.
- Julga que pode atrasá-lo ou adiantá-lo se puxar fortemente a coleira.
- Acha que faz parte do passeio ser puxado pelo pescoço.
- Quer fazer um exercício extra, pois tem muita energia.
- Ansiedade para explorar o ambiente externo.

O treinamento consiste em simplesmente retirar essas recompensas e mostrar ao seu cachorro que puxar a coleira não deve fazer parte do passeio, pelo contrário, que agindo assim ele não terá o passeio.

Cães que possuem muita energia dificultam um pouco o treinamento, portanto, procure iniciar os exercícios de passeio dentro de casa, saindo aos poucos assim que ele se mostrar atento a você, como se ele ganhasse o passeio por não puxar a guia.

Neste capítulo estão descritas as técnicas para andar com seu cachorro, e não o comando "junto", cuja explicação está em "Técnicas de adestramento". O objetivo aqui é ensinar o seu cachorro a não puxá-lo durante o passeio.

A IMPORTÂNCIA DO EQUIPAMENTO CORRETO

O equipamento adequado para esse treino é uma guia comprida, resistente, mas sutil, e um enforcador confortável e leve (leia sobre o assunto em "Equipamentos"), ou uma guia unificada. O enforcador auxiliará no treinamento e não machucará seu cachorro se for utilizado corretamente.

A importância do equipamento correto não é simplesmente garantir o conforto de seu animal, mas também sua segurança, e tem a finalidade de facilitar o adestramento. A coleira leve e silenciosa não é percebida pelo seu cão, a não ser que ele mesmo a tracione. Qual é a grande vantagem disso? Futuramente seu cachorro irá respeitá-lo com ou sem a coleira, e mesmo que ela escape de sua mão ou arrebente, seu cachorro não sairá correndo e, provavelmente, nem perceberá que você perdeu o controle sobre ele.

Para deixar mais claro, vou explicar uma das técnicas que utilizo para cães que perseguem gatos. Amarro uma corda leve e silenciosa na coleira do cachorro e provoco a situação (coloco um gato nas proximidades). O cachorro sai correndo e leva um tranco da corda (tomo o cuidado para o tranco não ter possibilidade de machucá-lo), o que o surpreende. Na segunda ou terceira vez, mesmo sem a corda, o cão não persegue mais o gato, pois passa a acreditar que o ato de perseguir o gato lhe dá um tranco. Se ele relacionasse o tranco com a corda, assim que eu desamarrasse a corda o cachorro sairia correndo atrás do gato. Portanto, o exercício só faz sentido se a corda for levíssima e silenciosa.

O TREINAMENTO PROPRIAMENTE DITO

Coloque a guia e o enforcador no seu cachorro e saia para passear. Cada vez que seu cachorro puxar, pare. Simplesmente pare. O cachorro irá tentar puxá-lo, mas fique firme; como ele está usando o enforcador, começará a se enforcar até desistir. Assim que ele afrouxar a corda, volte a andar. Você acabou de mostrar para ele que puxar a coleira leva ao fracasso; antes, ele imaginava que só chegava em algum lugar porque puxava a guia; agora, quando puxa a guia, o passeio "trava". Durante esse treinamento é importante que você não dê trancos e nem broncas – simplesmente pare de andar. Quanto mais instantânea for a sua parada, melhor.

Outra técnica que deve ser associada com a primeira é mudar de direção completamente quando seu cachorro passar à sua frente, ou seja, toda vez que isso acontecer você dará meia-volta e sairá andando na direção oposta. O cachorro tomará um tranco e, surpreso, verá que você está seguindo na direção contrária à dele. Surpreenda-o várias vezes, e logo seu cão estará prestando bastante atenção em você e evitando adiantar-se muito.

Se seu cão parar para cheirar algo, continue andando, não pare. Deixe que a coleira dê um tranco naturalmente. A única maneira que seu cachorro encontrará para evitar trancos será prestar atenção em você. Guias muito curtas impossibilitam surpreender o cão, por isso procure utilizar as que tenham pelo menos 2 metros para praticar esse exercício.

No caso de cães muito ansiosos, comece o exercício dentro de casa e só saia para a rua quando ele o estiver acompanhado corretamente. Na rua, não vá direto para os locais de que ele gosta, primeiro faça o exercício em um mesmo lugar, até que ele relaxe novamente.

Lembre-se de que sempre que você estiver andando, a guia deve estar frouxa, de tal maneira que seu cachorro nem ao menos possa senti--la. Andar com a guia tensa é uma das melhores formas de ensinar o seu cachorro a puxá-la, e não é o que você deseja. Evite falar e dar trancos, assim, a única maneira de o cachorro saber exatamente onde você está é olhando para você.

Evite dar puxões no cão, pois, além de cansar o braço, essa prática não funciona como bronca e enforca o animal. A punição almejada com o enforcador é o tranco, ou seja, uma tração rápida e seca na guia. Esse tranco causa um desconforto e um susto, mas não prejudica a respiração de seu cão.

OUTROS EQUIPAMENTOS QUE AUXILIAM O ADESTRAMENTO

Existem alguns equipamentos que auxiliam bastante a solução desse problema. São recursos que procuram punir o cão sempre que ele tracionar a guia, mas de forma mais clara para ele, sem enforcá-lo, ou seja, dispensando o enforcador. Mesmo com o enforcador, é importante utilizar as técnicas aqui descritas, que salientam a importância do uso de reforços positivos para os momentos em que o passeio está correto e tranquilo.

ASSIM SEU CÃO ENTENDERÁ QUE NÃO ADIANTA PUXAR!

Com esses simples procedimentos eliminamos todos os motivos que levam seu cachorro a querer puxar a guia. Para começar, ele aprenderá que não faz parte do passeio andar com a guia esticada, e que não adianta querer liderá-lo andando na sua frente, pois sempre que ele faz isso você muda de direção e ele fica para trás, levando ainda um tranco no pescoço. E se a intenção do cão, tracionando a guia, era chegar mais rápido em algum lugar, ele terá uma surpresa: ela trava.

Utilizando essas técnicas, seu cachorro aprenderá rapidamente a não puxar a guia e prestará mais atenção em você, o que é fundamental para o treino.

Atenção: Enforcadores com espinhos ou ferros pontudos virados para dentro não devem ser utilizados nunca.Além de machucar o animal, não é uma alternativa eficiente conter um animal que puxa muito ou que é muito grande.As coleiras do tipo halti e gentle leader, além de não machucarem o cão, são muito mais seguras para serem usadas em cães muito grandes, muito fortes ou por pessoas que não têm muita força física.

RESUMO

- Utilize uma guia e um enforcador leves, silenciosos, mas resistentes.
- Não ande na direção que seu cachorro estiver tracionando. Limite-se a parar ou mude de direção energicamente.
- Durante a caminhada, mude de direção de repente também se o cão não estiver prestando atenção em você, o que fará naturalmente levar um tranco.
- Alguns equipamentos, como as coleiras do tipo halti e gentle leader, facilitam a correção desse comportamento.
- Nunca ande com a guia tensa.

CORRER PARA A RUA (E O PERIGO DE SER ATROPELADO)

Ensinar um cão a não atravessar a rua é algo muito simples e fácil de ser ensinado, e pode evitar sérios acidentes. Normalmente, os cães preferem ficar nas calçadas, que estão impregnadas com cheiros muito mais interessantes do que no meio da rua. Porém, é necessário ensiná-los a não mudar de calçada.

É preciso ser coerente em suas atitudes para que seu cão nunca atravesse a rua sozinho. Além de ensiná-lo, é importante nunca deixá-lo fazer isso.

Comece ensinando-o na guia, chegue perto da calçada, brinque com ele e vá para a rua. Ele naturalmente o seguirá. Com o auxílio da guia, impeça imediatamente que ele pise na rua e diga "Não!"seriamente. Repita algumas vezes o exercício até que ele se recuse a ir para rua, aí volte imediatamente, elogiando-o e agradando-o.

Atenção: Não o chame para a rua para então puni-lo. Você nunca pode punir seu cão por obedecê-lo. Apenas induza-o, não o chame!

Assim que ele entender que não deve ir para a rua, jogue algum brinquedo nela e surpreenda-o com um tranco na guia, que deve ser praticamente imperceptível para ele, assim que tocar com a pata no asfalto. Jogue o brinquedo mais algumas vezes e elogie-o quando ele se recusar a ir para a rua.

Ao condicioná-lo dessa forma, é necessário mostrar que seu cão pode andar e correr atrás da bolinha na calçada. Portanto, intercale o exercício, mostrando que ele não pode ir para a rua, mas que é permitido andar e brincar na calçada.

Assim que seu cão entender que não pode atravessar a rua, ensine-o a atravessar somente sob comando. Diga "Não!", dê um tranco na guia,

impedindo que ele toque a rua com as patas tentando atravessá-la sem autorização, e, finalmente, permita que ele a atravesse com você e sob comando, somente depois que ele tiver entendido o processo, para não confundi-lo.

É importante treiná-lo em diferentes locais e em diferentes tipos de calçada, para que ele entenda perfeitamente o que você espera dele.

RESUMO

- Com o auxílio de uma guia, ande em direção à rua e impeça o cão de pisar nela dizendo seriamente "Não!". Repita a operação algumas vezes, até que ele se recuse a ir para a rua.
- Recompense-o com atenção, brincadeiras ou petiscos sempre que você o induzir a ir para a rua e ele se recusar.
- Utilize brinquedos para estimular seu cão a ir para a rua e, com uma guia leve e silenciosa, não permita que ele o faça, até que comece a se recusar a ir para a rua sob qualquer estímulo.
- Após tê-lo ensinado a evitar a rua em qualquer hipótese, comece a ensiná-lo a atravessá-la somente sob seu comando e próximo a você.
- Mas atenção: o cachorro não deve andar solto. Esse exercício previne um acidente caso a guia arrebente ou escape da sua mão, o que, infelizmente, ocorre com certa frequência.

LIDANDO COM O ESTRESSE E OS MEDOS DO CÃO

Não é só o ser humano que pode ficar estressado e se prejudicar com isso. Os cães também se estressam. Muitas vezes, acontecimentos na casa ou na vida do cão, aos quais as pessoas não costumam dar importância, podem ser considerados por ele como ameaças ou desafios e afetá-lo gravemente.

Ficar sozinho é um desses casos, já que a espécie é social e precisa estar em companhia para se proteger e caçar. O estresse pode vir também de fatos como estar na presença de visitas, tomar banho, ser vestido com uma roupinha, ouvir barulhos, ainda que comuns para nós, ou estar diante de uma situação nova, como a chegada de um bebê.

A sociabilização e a habituação provocam mudanças profundas na maneira como o cérebro processa diversas informações, facilitando diferentes tipos de aprendizado e reações muito mais naturais aos estímulos novos e desconhecidos. Uma boa sociabilização não é garantia de que o cão não ficará medroso ou agressivo, mas influenciará muito para evitar que isso ocorra.

Quando não é sociabilizado e habituado adequadamente o cão pode ficar medroso ou agressivo diante de objetos, como aspiradores de pó, de lugares, como avenidas movimentadas, e de sons, como estampidos de fogos de artifício. Um cão mal sociabilizado pode, inclusive, atacar crianças, por medo ou por confundi-las com presas.

QUANDO O ESTRESSE É PREJUDICIAL

Passar por momentos de estresse é normal. Se não houver exagero, o estresse até ajuda a preparar o organismo para lidar com situações perigosas ou aversivas.

Nesses casos, a energia consumida supera a armazenada. O coração fica acelerado, a frequência respiratória aumenta, as pupilas dilatam e há a liberação de hormônios, como adrenalina e cortisol, na corrente sanguínea, promovendo alterações fisiológicas e comportamentais.

Nenhum organismo está preparado para viver em permanente estado de estresse. Se isso acontecer, a tendência é o cão apresentar sintomas como parar de se alimentar, não querer brincar, ter comportamentos repetitivos/ compulsivos, como lamber a pata até feri-la, correr atrás da cauda e latir sem parar.

O TESTE DO PETISCO

Por meio de mudanças nas atitudes do cão é possível detectar o que o estressa. Assim, pode-se evitar que ele sofra desnecessariamente. É possível averiguar se o cão está com estresse em determinado momento oferecendo um petisco e observando como reage. Por exemplo, se ele estiver tomando banho e aceitar a guloseima é porque não está estressado. Se a recusar, é provável que esteja estressado (ou que esteja sem apetite).

Pode-se também medir a velocidade de recuperação do cão às situações estressantes. Basta ver quando ele começa a aceitar comida de novo ou a brincar, sinal de que o estresse foi superado. Alguns cães demoram para se recuperar, outros se recuperam quase instantaneamente.

EXAME DE SANGUE

Em casos mais complicados, a presença de estresse pode ser verificada por meio de um exame que mede o grau de cortisol no sangue, o hormônio do estresse. Níveis anormais são indicativos de que o cão não esteja bem emocionalmente. Mas como a concentração desses hormônios varia de indivíduo para indivíduo, o melhor teste é um acompanhamento mais cuidadoso.

TRATAMENTOS

Por meio de terapia comportamental o cão pode aprender a tolerar com naturalidade situações muito estressantes para ele, como ficar em casa sozinho, ouvir barulhos de fogos, ir passear no parque com outras pessoas e animais, habituar-se a ambientes mais agitados como avenidas com ônibus etc. Cães mais sensíveis devem ter um tratamento mais cuidadoso do que os mais corajosos, diante das mesmas situações.

Quando o animal não foi bem sociabilizado, devemos realizar a dessenssibilização como terapia comportamental. Cães medrosos devem ser encorajados a brincar, comer e receber carinho ao lado dos objetos, lugares, pessoas, animais, movimentos ou qualquer estímulo que lhes cause medo.

Sempre que possível, devemos ir aproximando o cão do objeto gradativamente de modo a não estimular o medo, evitando traumatizá-lo. Comece com o cão a uma distância em que se sinta completamente seguro. Somente diminua a distância ao perceber que o cão se sente completamente tranquilo. Estímulos em movimento também podem ser assustadores. Comece com o estímulo parado, depois em movimento. Não o force a se aproximar demais do estímulo para ele não começar a perder a confiança em você.

RESUMO

- Cães também podem ficar estressados em situações comuns ou do cotidiano.
- O estresse, quando sob controle, ajuda o organismo a lidar com essas situações.
- Os principais sintomas do estresse são: taquicardia, respiração ofegante, dilatação das pupilas, aumento de determinados hormônios (adrenalina e cortisol) na corrente sanguínea.
- O estresse crônico pode debilitar o organismo e facilitar a manifestação de alergias e doenças.

- Existem tratamentos medicamentosos que podem ajudar no controle do estresse.
- Dessensibilização, com terapia comportamental, pode ser útil para evitar o estresse.

COMO EVITAR MANIAS COMPULSIVAS

CAUSAS

Além de predisposição herdada, em geral por desequilíbrio químico dos neurotransmissores do cérebro, o comportamento compulsivo também pode estar associado a estresse e ansiedade provocados pelo ambiente onde o animal vive e pelas relações que os humanos têm com ele. Esses fatores ambientais muitas vezes são as únicas causas da compulsão. Por exemplo, um cão ativo ficará ansioso se for confinado em espaço pequeno demais e com poucos estímulos. Para gastar a energia acumulada, poderá começar a andar em círculos, lamber as patas, latir e até roer pedras. Se a condição se prolongar, surgirá o comportamento compulsivo, que durará pelo resto da vida, mesmo que se venha a oferecer condições mais adequadas, pois se trata de um mecanismo de retroalimentação — o ato em si recompensa o cão. As dicas a seguir permitem evitar a compulsão adquirida e, se ela já estiver instalada, aliviá-la, já que é difícil superá-la por completo.

IDENTIFICANDO A COMPULSÃO

Atitudes compulsivas são qualquer comportamento, do repertório natural ou não, exibido fora de contexto e em intensidade exacerbada, sem propósito claro nem vantajoso. Quase todas as manifestações físicas podem se tornar compulsivas; entre as mais comuns estão correr atrás da cauda, perseguir a própria sombra, lamber exageradamente as patas, arrancar pelos e latir por longos períodos. Portanto, se você perceber que o cão gasta horas do dia realizando uma atividade aparentemente sem objetivo, procure a ajuda de um profissional, pois comportamentos compulsivos tendem apenas a aumentar com o tempo se não houver uma intervenção adequada.

GULOSEIMA NÃO É REMÉDIO

Na tentativa de interromper um comportamento compulsivo, alguns proprietários tentam distrair o animal oferecendo brinquedos, atividades ou guloseimas, mas são surpreendidos ao ver o comportamento indesejado se tornar mais intenso. Trata-se do animal, satisfeito com a "recompensa" recebida, se esforçando para ganhar mais. Até broncas podem reforçar a compulsão se forem interpretadas como ganho de atenção por um animal carente nesse sentido. Portanto, para interromper um comportamento compulsivo, provoque uma sensação desagradável ao animal, sem traumatizá-lo. Pode ser um barulho incômodo ou um borrifada com algo desagradável, mas seguro para a saúde do animal.

PERMITA COMPORTAMENTOS QUE DÃO VAZÃO À ANSIEDADE DELE

Alguns cães aprendem a controlar a ansiedade por meio de alguns comportamentos, como o de mastigar algum objeto enquanto recebem carinho. Esses animais, assim que avistam alguém, procuram imediatamente um brinquedo para ficar mordendo. Essa pode ser uma solução saudável encontrada por eles mesmos para uma ansiedade excessiva. Redirecionar o comportamento compulsivo pode ser interessante se ele ameaçar a integridade física do animal. Então, caso seu cão tenha o hábito de lamber as patas e for detectado o problema compulsivo (pois existem outras causas para esse comportamento), puna a lambedura e ensine-o a brincar com uma bolinha ou morder um brinquedo que não desgaste os dentes.

BASTANTE ATIVIDADE FÍSICA

Cães com pouca atividade física podem demonstrar agitação e inquietação, por isso, procure levar seu cão para fazer exercícios em caminhadas e brincadeiras.

USO DE MEDICAMENTOS

Para o comportamento compulsivo decorrente do desequilíbrio químico dos neurotransmissores do cérebro há tratamentos medicamentosos, bem como atividades físicas e suplementação alimentar com aminoácidos, como o triptofano.

RESUMO

- Forneça espaço e atividades adequadas para o seu animal.
- Para interromper um comportamento compulsivo faça um barulho incômodo ou afaste-se – não utilize brincadeiras, petiscos nem carinho para desviar a atenção do cão.

Parte Final

CURIOSIDADES

COMPORTAMENTOS

O CÃO E O AUTOMÓVEL

A grande maioria dos cães ama estar dentro de um carro! Não estranhe, portanto, se o seu cão tiver essa paixão ou se ele vier a desenvolvê-la. Existem vários motivos que podem levar um cão a adorar os passeios de automóvel.

O carro, para os cães, é uma toca do grupo e estar dentro dela é garantia de fazer parte integrante desse grupo. Essa é uma combinação maravilhosa para os cães que querem estar perto das pessoas e, ao mesmo tempo, desejam se sentir protegidos em uma toca e dar uma voltinha. Se não bastasse, a toca ambulante pode levá-los para lugares legais como um parque, um sítio ou uma fazenda!

NEM TODOS GOSTAM

Há uma pequena parcela de cães que não gosta de passear de carro. Isso acontece quando o automóvel é associado a coisas ruins, principalmente a medo (falha na sociabilização) e a enjoo produzido pelo balanço e movimento do carro. Com o tempo, uma associação negativa tende a aparecer e o cão pode começar a sentir enjoo somente por entrar no automóvel, antes mesmo de o motor ser ligado.

Alguns cães com medo de carro o veem como uma toca que passeia ao lado de outros carros e caminhões, ou que o leva ao veterinário (e alguns cães só são postos no carro para serem levados para esse destino).

AUMENTO DA AGRESSIVIDADE

Muitos cães tendem a ficar mais agressivos se houver algo muito valioso para defenderem e se, ao mesmo tempo, esse bem os fizer se sentir seguros. É provável que existam poucas coisas que sejam mais importantes para um cão proteger do que a "toca móvel" dele. E estar nela, junto ao grupo, protegido por janelas, resulta numa enorme sensação de segurança.

Normalmente, a agressividade se manifesta quando alguma pessoa se aproxima do carro. Mas também pode ocorrer se alguém tenta tirar o cão desse espaço tão precioso para ele. Nesses momentos, o próprio dono corre risco de ser mordido.

ASSENTO NOBRE

Em geral, quando o cão é deixado sozinho no carro, logo elege o banco do motorista como o lugar predileto para se sentar ou deitar. Isso acontece porque o local é percebido como o mais disputado do carro, aquele que nunca fica vago. Além disso, é também o assento que mais tem cheiro das pessoas preferidas pelo cão, odor que o ajuda a relaxar enquanto fica sozinho.

Para que a experiência do passeio seja sempre agradável ao cão e ao dono, alguns cuidados importantes devem ser levados em conta. Os acidentes mais comuns relacionados com a presença canina em automóvel são: cão com insolação por ter sido deixado em carro fechado sob sol forte; cão que pulou pela janela; cão que atacou transeunte; e, ainda, motorista que bateu o carro porque o cão atrapalhou.

EFEITO ESTUFA

São comuns os casos de cães que morrem por hipertermia (calor excessivo) depois de terem sido trancados num automóvel estacionado sob sol. Jamais deixe o seu cão num carro fechado quando houver a possibilidade de o sol incidir sobre o automóvel. Lembre-se: um dia chuvoso pode virar um dia ensolarado em pouco tempo e as sombras mudam de lugar à medida que muda a posição do sol.

Se o carro estiver em lugar escuro, a temperatura interior será semelhante à exterior. Mas o problema só se agrava se o carro for muito pequeno ou se as janelas estiverem completamente fechadas ou, ainda, se houver vários cães dentro.

Um cão não deve ser deixado sem supervisão quando estiver com guia ou enforcador, acessórios que podem enroscar em algo e enforcá-lo. Tire o enforcador e a guia se for preciso deixar o animal sozinho no carro, mesmo que por pouco tempo.

CARRO EM MOVIMENTO

Ao deixar um cão solto no carro ele pode causar um acidente ao entrar debaixo do pedal do freio ou ficar sobre o freio de mão. Ele pode ainda distrair o motorista, que pode bater o carro enquanto o cão late, pula nele ou na janela e tenta atacar todos que se aproximam do carro.

Diante de um estímulo irresistível, o cão pode resolver pular pela janela do carro, mesmo em movimento. Não é preciso dizer o quanto esse comportamento é perigoso.

Lembre-se de que diversas vidas poderão estar em jogo com o carro em movimento, incluindo a sua e a do seu cão. A melhor maneira de evitar acidente é deixar o cão contido, de modo que não possa circular de um lado para outro no interior do veículo. Levá-lo dentro de uma caixa de transporte ou preso em um cinto de segurança próprio para cães são ótimas maneiras de transportá-lo.

POR QUE O CÃO CHEIRA O RABO DOS OUTROS?

Porque nessa região há vários odores que fornecem muitas informações aos demais cães. Próximo ao ânus está uma glândula de cheiro que identifica cada animal, como uma espécie de impressão digital para nós. Além dessa glândula, os ancestrais dos cães domésticos podiam identificar o líder da matilha pelo cheiro do ânus, pois descobriam se ele estava comendo com frequência (defecando frequentemente) e se estava comendo a melhor parte da caça (partes mais nobres da caça são ingeridas pelos líderes, e essas partes possuem cheiro diferenciado depois de digeridas e excretadas).

Um cão que deseja se impor levanta o rabo como se tivesse orgulho do cheiro do seu ânus, enquanto um animal submisso o esconde com a cauda como se estivesse dizendo que não faz questão de se impor e que também não tem orgulho do seu cheiro nem do alimento que vem ingerindo ultimamente.

POR QUE ALGUNS CÃES TEM O COSTUME DE COMER GRAMA?

Se você vir seu bicho de estimação comendo grama, não se assuste... Ele não virou vegetariano nem está querendo vomitar, ao contrário do que muitos acreditam. Na verdade, a grama ajuda a limpar o intestino dos animais. No caso dos cães, acredita-se também que esse costume venha de seus ancestrais. Há muito tempo, os lobos se alimentavam de animais herbívoros e, indiretamente, consumiam um pouco de vegetais de dentro do estômago e intestino desses bichos. Mas fique esperto: seu bichinho pode contrair verminoses se ingerir a grama de determinados lugares. O legal é comprar sementes em Pet Shops, próprias para isso, e plantar em casa para seu cachorro ou gato poder comer tranquilamente.

MITOS

CÃES SÃO RACISTAS?

Não. Eles podem se tornar racistas por traumas, mas geralmente o que ocorre é uma falta de socialização primária com etnias diferentes. Para um cão criado com negros desde pequeno, um homem branco pode ser considerado um ser estranho e perigoso, e o inverso acontece com cães que são criados somente com brancos. Nós também possuímos cheiros, formas e cores diferentes, e por isso é importante socializarmos nossos cães, enquanto ainda são filhotes, com diferentes pessoas e as diversas etnias humanas.

CÃES PREFEREM FICAR PRESOS DENTRO DE CASA (COM AS PESSOAS) OU LIVRES NO QUINTAL (SOZINHOS)?

Por mais estranho que possa parecer, a grande maioria dos cães prefere ficar com os "companheiros de matilha", independente da condição em que estiverem. Cães são animais que dependem de companhia, portanto, não ache que só porque seu quintal é grande você pode abandonar seu cão lá. Um cão será muito mais feliz se puder morar junto dos outros membros da matilha, mesmo que isso envolva um espaço reduzido na maior parte do tempo. Apesar de os cães preferirem viver num espaço menor com sua "matilha" do que abandonados, para serem saudáveis eles necessitam passear e se exercitar.

DEIXAR O CÃO PRESO É UMA BOA MANEIRA DE "FABRICARMOS" UM CÃO DE GUARDA?

Não. Um cão de guarda deve ser corajoso e atacar para proteção sob comando. Um cão preso a uma corrente fica agressivo e neurótico, pois a única maneira que ele tem de se proteger de potenciais perigos é atacando, já que está exposto e sem possibilidade de sair do local. Cães que crescem nessas condições desenvolvem temperamentos instáveis e perigosos. Socializar e evitar traumas são sempre as melhores saídas para obtermos um cão emocionalmente equilibrado e que responda bem ao treinamento, incluindo o treinamento de ataque.

É PRECISO REPETIR ALGO VÁRIAS VEZES PARA QUE O CÃO APRENDA?

Nem sempre. Cães podem aprender instantaneamente. Já imaginou quantas chances teria um lobo para aprender que não se deve lutar contra ursos sozinho? A repetição no condicionamento é fundamental apenas para fixar o aprendizado e para ajudar seu cão a identificar exatamente o comportamento indesejado, e o não desejado.

CAPACIDADES

INTELIGÊNCIA DOS CÃES

Cães são animais inteligentes que possuem habilidade de resolver problemas mentalmente, podendo analisar situações e imaginar meios de manipulá-las ou controlá-las. Infelizmente, grande parte das pessoas acredita que os cães reagem a estímulos externos como se fossem robôs e os tratam de acordo com essa ideia. Essas pessoas são facilmente manipuladas pelos próprios cães, pois não desenvolvem a capacidade de imaginar o que seu animal pode estar pensando.

Para se tornar um bom adestrador de animais, é necessário que você consiga sintonizar-se com a inteligência do animal que está adestrando, pois só assim conseguirá imaginar as dúvidas e os problemas de aprendizagem que seu aluno poderá vir a ter. É importante observar todas as relações que seu cão é capaz de fazer e utilizá-las para melhorar o convívio entre vocês.

A inteligência dos cães varia muito conforme a raça. Vários estudos procuram identificar quais são as raças mais inteligentes e quais as menos inteligentes, mas esses estudos devem ser analisados detalhadamente, já que a inteligência possui diversas facetas e, dependendo do teste aplicado, uma ou outra raça será beneficiada pelos resultados. Algumas raças têm maior facilidade para lidar com determinadas coisas e maior dificuldade para outras, por isso é impossível julgá-las sem definir os parâmetros específicos que estão sendo analisados.

Estimular mentalmente o cão pode melhorar seu aprendizado. Quanto mais o cão for estimulado através de brincadeiras, treinado, quanto mais truques, palavras e sinais o cão entender, maior será sua facilidade em aprender coisas novas e em se comunicar com o dono.

ÓRGÃOS SENSORIAIS

Poucas são as espécies que variam tanto em forma, tamanho e aptidões como a dos cães. Devido a essa grande diversidade, torna-se difícil a comparação dos órgãos sensoriais entre cães e humanos. Uma comparação mais detalhada deve levar em conta cada raça, já que existem grandes diferenças entre elas.

VISÃO

Comumente se diz que a visão dos cães é inferior à dos humanos, mas isso não é verdade. A visão dos cães apresenta algumas características melhores que a nossa e outras piores.

A visão dos cães é muito mais sensível à luz e ao movimento que a nossa, portanto, eles têm maior facilidade para localizar algo que está se movendo, principalmente se estiver escuro para os padrões da visão humana.

Você já jogou uma bolinha para seu cão e ele não conseguiu encontrá-la, por que ela parou de se movimentar?

Predadores como o cão estão sempre à procura de presas, e por isso é muito vantajoso que objetos e animais em movimento se sobressaiam do resto da paisagem. Essa sensibilidade a objetos em movimento é um dos aspectos mais desenvolvidos na visão canina. Se você estiver com seu cão em um ambiente aberto e ele tiver dificuldades em encontrá-lo, procure se movimentar, pois isso facilitará bastante a sua localização pelo animal. Outro uso prático dessa habilidade é a utilização de sinais que envolvem movimento para comandar um cão à distância. Esse é um dos motivos pelos quais a maioria dos sinais para comandar um cão envolve movimento da mão ou do braço.

Por outro lado, a visão dos cães possui uma resolução bem inferior à nossa, com menos capacidade de focar a imagem, e eles enxergam menos cores do que nós. Isso significa, por exemplo, que visualmente o ser humano é capaz de reconhecer um rosto à uma distância maior do que o cão, mas em um ambiente com pouca iluminação a definição visual do ser humano diminui muito, enquanto a do cão, não. Um objeto que uma pessoa consiga reconhecer a uma distância de 25 metros só seria reconhecido pelo cão a 7 metros.

Estudos atuais afirmam que cães conseguem diferenciar cores como azul e amarelo, mas não conseguem diferenciar verde de vermelho, por exemplo.

Portanto, não se iluda em pensar que uma ração vermelha possa interessar mais o cão do que uma ração verde ou, ainda, que sangue ou um pano vermelho possam desencadear alguma reação específica no cão devido à cor.

Se você quiser ensinar seu cão a buscar objetos atirados no gramado, opte por objetos azuis, já que objetos amarelos, laranjas ou vermelhos serão mais difíceis de o cão identificar contra um fundo verde (grama).

Nosso campo de visão é de cerca de 180 graus, o que não nos permite enxergar para trás quando estamos olhando para frente. Isso, por incrível que possa parecer, os cães conseguem!

O campo visual de um cão, na média, é de 250 graus, sendo um pouco maior em cães com focinho longo e bem menor em cães com o focinho mais curto.

OLFATO

Os cães são capazes de diferenciar e identificar odores que nós nem percebemos. Eles conseguem identificar e seguir os rastros de cheiro de pessoas passados vários dias. Devido a essa tremenda capacidade os cães são utilizados para detectar drogas, perseguir ladrões pelo mato, seguir trilhas deixadas por animais e outras finalidades semelhantes.

Os cachorros possuem cerca de 200 milhões de receptores para odores, enquanto os humanos possuem somente cerca de 5 milhões, ou seja, 40 vezes menos do que os cães.

AUDIÇÃO

A audição dos cães também é extremamente desenvolvida. Eles são capazes, com o auxílio de suas orelhas direcionáveis, de localizar com precisão a direção da origem do som em apenas 6 centésimos de segundo, e conseguem ouvir o mesmo som a uma distância quatro vezes maior do que somos capazes. Por exemplo, um comando que uma pessoa é capaz de ouvir a apenas 2 metros de distância, um cão ouve a 8 metros.

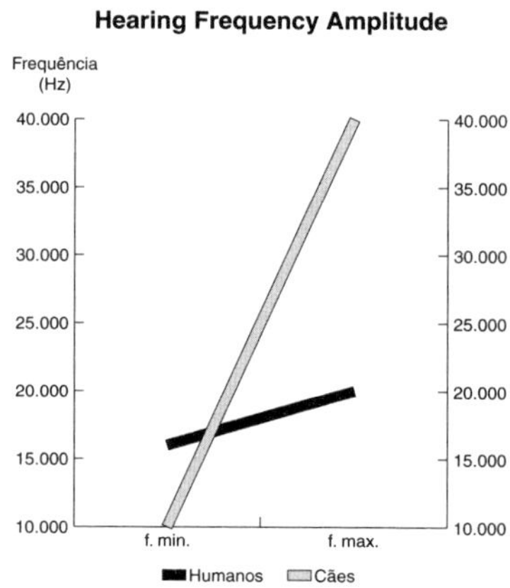

Além de mais sensível, a audição dos cães capta sons aquém e além da frequência que temos capacidade de ouvir, o que nos permite utilizar apitos ultrassônicos para nos comunicarmos com os cães. Os humanos ouvem frequências entre 16 e 20.000 Hz, enquanto o cão pode ouvir entre 10 e 40.000 Hz.

INTERAÇÕES ESPECIAIS COM HUMANOS

CÃES PARA PORTADORES DE DEFICIÊNCIA VISUAL

Cães podem ser treinados para guiar deficientes visuais, funcionando praticamente como olhos para o proprietário. Em grande parte dos países, a entrada desses cães é permitida em qualquer espaço público, como bancos, restaurantes, ônibus etc. Eles, além de guiarem a pessoa por calçadas, escadas etc., a desviam de obstáculos no caminho, inclusive de obstáculos altos que poderiam bater em sua cabeça. São capazes, também, de ignorar qualquer distração enquanto estão "trabalhando". As raças mais empregadas nesse serviço são as dos cães labradores, pastores-alemães e golden-retrievers, pois são cães inteligentes e obedientes e possuem um tamanho adequado.

CÃES PARA PORTADORES DE DEFICIÊNCIA AUDITIVA

Existem instituições que treinam cães para ajudar pessoas com deficiência auditiva. Esses cães alertam seus donos para uma variedade de sons. Eles vão até a pessoa e voltam para a fonte sonora diversas vezes, até a pessoa identificá-la. São cães treinados para avisar seu proprietário quando toca o telefone, quando alguém bate à porta, quando dispara o alarme contra incêndio, se um bebê estiver chorando etc.

CÃES PARA PARAPLÉGICOS

Cães treinados para auxiliar paraplégicos ajudam o proprietário a se locomover, puxando a cadeira de rodas, auxiliam-no a pegar objetos ou os trazem para o dono, acendem e apagam as luzes e ajudam a carregar outros materiais.

Bibliografia

DELANO CONDAX, Kate. *101 training tips for your dog*. Nova York: Bantam, 1994.

FOGLE, Bruce. *Complete dog training manual*. Nova York: Dorling Kindersley, 1994.

GIACOBINI, Philippe. *Guia do seu cão*. São Paulo: Abril, 1990.

GYGAS, Theo. *O cão em nossa casa*. São Paulo: Discubra, 1976. [Nova edição: Gaia, 2007.]

KILCOMMONS, Brian. *Good owners, great dogs*. Nova York: Warner, 1992.

MARSHALL THOMAS, Elizabeth. *A vida oculta dos cães*. Rio de Janeiro: Ediouro, 1995.

PRAYOR, Karen. *Don't shoot the dog!* Nova York: Bantam, 1985.

SANTOS, Renato. *Adestramento de cães*. São Paulo: Nobel, 1980.

Impressão e Acabamento
assahi
gráfica e editora ltda.